J. M. Longhridge

February 15th., 1968.

GERHART HAUPTMANN

Vor Sonnenaufgang

Soziales Drama

Mit einem Nachwort von Kurt Lothar Tank

PROPYLÄEN VERLAG

VERLAG ULLSTEIN GMBH · BERLIN · FRANKFURT/M · WIEN
Umschlagentwurf: Hans Bohn

VOR SONNENAUFGANG

Soziales Drama

DRAMATIS PERSONAE

KRAUSE, Bauerngutsbesitzer

FRAU KRAUSE, seine zweite Frau

HELENE
MARTHA | Krauses Töchter erster Ehe

HOFFMANN, Ingenieur, verheiratet mit Martha

WILHELM KAHL, Neffe der Frau Krause

FRAU SPILLER, Gesellschafterin der Frau Krause

ALFRED LOTH

DOKTOR SCHIMMELPFENNIG

BEIBST, Arbeitsmann auf Krauses Gut

GUSTE
LIESE | Mägde auf Krauses Gut
MARIE |

BAER, genannt Hopslabaer

EDUARD, Hoffmanns Diener

MIELE, Hausmädchen bei Frau Krause

DIE KUTSCHENFRAU

GOLISCH, genannt Gosch, Kuhjunge

EIN PAKETTRÄGER

ERSTER AKT

Das Zimmer ist niedrig; der Fußboden mit guten Teppichen belegt. Moderner Luxus auf bäuerische Dürftigkeit gepfropft. An der Wand hinter dem Eßtisch ein Gemälde, darstellend einen vierspännigen Frachtwagen, von einem Fuhrknecht in blauer Bluse geleitet.

Miele, eine robuste Bauernmagd mit rotem, etwas stumpfsinnigem Gesicht; sie öffnet die Mitteltür und läßt Alfred Loth eintreten. Loth ist mittelgroß, breitschultrig, untersetzt, in seinen Bewegungen bestimmt, doch ein wenig ungelenk; er hat blondes Haar, blaue Augen und ein dünnes lichtblondes Schnurrbärtchen, sein ganzes Gesicht ist knochig und hat einen gleichmäßig ernsten Ausdruck. Er ist ordentlich, jedoch nichts weniger als modern gekleidet. Sommerpaletot, Umhängetäschchen, Stock.

MIELE. Bitte! Ich werde den Herrn Inschinnär glei ruffen. Wollen Sie nich Platz nehmen?!
Die Glastür zum Wintergarten wird heftig aufgestoßen; ein Bauernweib, im Gesicht blaurot vor Wut, stürzt herein. Sie ist nicht viel besser als eine Waschfrau gekleidet. Nackte, rote Arme, blauer Kattunrock und Mieder, rotes punktiertes Brusttuch. Alter Anfang Vierzig — Gesicht hart, sinnlich, bösartig. Die ganze Gestalt sonst gut konserviert.

FRAU KRAUSE *schreit.* Ihr Madel!! ... Richtig!! ... Doas Loster vu Froovulk! ...naus! mir gahn nischt! ... *Halb zu Miele, halb zu Loth:* A koan orbeita, o hoot Oarme. naus! hier gibbt's nischt!

LOTH. Aber Frau... Sie werden doch... ich... ich heiße Loth, bin... wünsche zu... habe auch nicht die Ab...

MIELE. A wull ock a Herr Inschinnär sprechen.

FRAU KRAUSE. Beim Schwiegersuhne batteln: doas kenn mer schunn. — A hoot au nischt, a hoot's au ock vu ins, nischt iis seine! *Die Tür rechts wird aufgemacht. Hoffmann steckt den Kopf heraus.*

HOFFMANN. Schwiegermama! — Ich muß doch bitten... *Er tritt heraus, wendet sich an Loth:* Was steht zu... Alfred! Kerl! Wahrhaftig'n Gott, du!? Das ist aber mal ... nein das ist doch mal 'n Gedanke!
Hoffmann ist etwa dreiunddreißig Jahre alt, schlank, groß,

hager. Er kleidet sich nach der neuesten Mode, ist elegant frisiert, trägt kostbare Ringe, Brillantknöpfe im Vorhemd und Berloques an der Uhrkette. Kopfhaar und Schnurrbart schwarz, der letztere sehr üppig, äußerst sorgfältig gepflegt. Gesicht spitz, vogelartig. Ausdruck verschwommen, Augen schwarz, lebhaft, zuweilen unruhig.

LOTH. Ich bin nämlich ganz zufällig...

HOFFMANN, *aufgeregt.* Etwas Lieberes ... nun aber zunächst leg ab! *Er versucht ihm das Umhängetäschchen abzunehmen.* — Etwas Lieberes und so Unerwartetes hätte mir jetzt — *er hat ihm Hut und Stock abgenommen und legt beides auf einen Stuhl neben der Tür* — hätte mir jetzt entschieden nicht passieren können, — *indem er zurückkommt* — entschieden nicht.

LOTH, *sich selbst das Täschchen abnehmend.* Ich bin nämlich — nur so per Zufall auf dich — *er legt das Täschchen auf den Tisch im Vordergrund.*

HOFFMANN. Setz dich! Du mußt müde sein, setz dich — bitte. Weißt de noch? wenn du mich besuchtest, da hatt'st du so 'ne Manier, dich lang auf das Sofa hinfallen zu lassen, daß die Federn krachten; mitunter sprangen sie nämlich auch. Also du, höre! mach's wie damals.

Frau Krause hat ein sehr erstauntes Gesicht gemacht und sich dann zurückgezogen. Loth läßt sich auf einen der Sessel nieder, die rings um den Tisch im Vordergrunde stehn.

HOFFMANN. Trinkst du was? Sag! — Bier, Wein? Kognak? Kaffee? Tee? Es ist alles im Hause.

Helene kommt lesend aus dem Wintergarten; ihre große, ein wenig zu starke Gestalt, die Frisur ihres blonden, ganz ungewöhnlich reichen Haares, ihr Gesichtsausdruck, ihre moderne Kleidung, ihre Bewegungen, ihre ganze Erscheinung überhaupt verleugnen das Bauernmädchen nicht ganz.

HELENE. Schwager, du könntest... *Sie entdeckt Loth und zieht sich schnell zurück.* Ach! ich bitte um Verzeihung. *Ab.*

HOFFMANN. Bleib doch, bleib!

LOTH. Deine Frau?

HOFFMANN. Nein, ihre Schwester. Hörtest du nicht, wie sie mich betitelte?

LOTH. Nein.

HOFFMANN. Hübsch! Wie? — Nu aber erklär dich! Kaffee? Tee? Grog?

LOTH. Danke, danke für alles.

HOFFMANN *präsentiert ihm Zigarren.* Aber das ist was für dich — nicht?! ... auch nicht?!

LOTH. Nein, danke.

HOFFMANN. Beneidenswerte Bedürfnislosigkeit! *Er raucht sich selbst eine Zigarre an und spricht dabei.* Die A... Asche, wollte sagen der ... der Tabak ... ä! Rauch natürlich ... der Rauch belästigt dich doch wohl nicht?

LOTH. Nein.

HOFFMANN. Wenn ich d a s nicht noch hätte ... ach Gott ja, das bißchen Leben! — Nu aber tu mir den Gefallen, erzähle was. — Zehn Jahre — bist übrigens kaum sehr verändert — zehn Jahre, 'n ekliger Fetzen Zeit — was macht Schn... Schnurz nannten wir ihn ja wohl? Fips, — die ganze heitere Blase von damals? Hast du den einen oder andern im Auge behalten?

LOTH. Sag mal, solltest du das nicht wissen?

HOFFMANN. Was?

LOTH. Daß er sich erschossen hat.

HOFFMANN. Wer — hat sich wieder mal erschossen?

LOTH. Fips! Friedrich Hildebrandt.

HOFFMANN. I warum nich gar!

LOTH. Ja! er hat sich erschossen — im Grunewald, an einer sehr schönen Stelle der Havelseeufer. Ich war dort, man hat den Blick auf Spandau.

HOFFMANN. Hm! — Hätt' ihm das nicht zugetraut, war doch sonst keine Heldennatur.

LOTH. Deswegen hat er sich eben erschossen. — Gewissenhaft war er, sehr gewissenhaft.

HOFFMANN. Gewissenhaft? Woso?

LOTH. Nun, darum eben ... sonst hätte er sich wohl nicht erschossen.

HOFFMANN. Versteh' nicht recht.

LOTH. Na, die Farbe seiner politischen Anschauungen kennst du doch?

HOFFMANN. Ja, grün.

LOTH. Du kannst sie gern so nennen. Er war, dies wirst du ihm wohl lassen müssen, ein talentvoller Jung. — Fünf

Jahre hat er als Stukkateur arbeiten müssen, andere fünf Jahre dann, sozusagen, auf eigene Faust durchgehungert und dazu kleine Statuetten modelliert.

HOFFMANN. Abstoßendes Zeug. Ich will von der Kunst erheitert sein ... Nee! diese Sorte Kunst war durchaus nicht mein Geschmack.

LOTH. Meiner war es auch nicht, aber er hatte sich nun doch einmal drauf versteift. Voriges Frühjahr schrieben sie da ein Denkmal aus; irgendein Duodezfürstchen, glaub' ich, sollte verewigt werden. Fips hatte sich beteiligt und gewonnen; kurz darauf schoß er sich tot.

HOFFMANN. Wo da die Gewissenhaftigkeit stecken soll, ist mir völlig schleierhaft. — Für so was habe ich nur eine Benennung: Span — auch Wurm — Spleen — so was.

LOTH. Das ist ja das allgemeine Urteil.

HOFFMANN. Tut mir leid, kann aber nicht umhin, mich ihm anzuschließen.

LOTH. Es ist ja für ihn auch ganz gleichgültig, was...

HOFFMANN. Ach überhaupt, lassen wir das. Ich bedauere ihn im Grunde ganz ebensosehr wie du, aber — nun ist er doch einmal tot, der gute Kerl; — erzähle mir lieber etwas von dir, was du getrieben hast, wie's dir ergangen ist.

LOTH. Es ist mir so ergangen, wie ich's erwarten mußte. — Hast du gar nichts von mir gehört? — durch die Zeitungen, mein ich.

HOFFMANN, *ein wenig befangen.* Wüßte nicht.

LOTH. Nichts von der Leipziger Geschichte?

HOFFMANN. Ach so, das! — Ja! — Ich glaube ... nichts Genaues.

LOTH. Also, die Sache war folgende...

HOFFMANN, *seine Hand auf Loths Arm legend.* Ehe du anfängst — willst du denn gar nichts zu dir nehmen?

LOTH. Später vielleicht.

HOFFMANN. Auch nicht ein Gläschen Kognak?

LOTH. Nein. Das am allerwenigsten.

HOFFMANN. Nun, dann werde ich ein Gläschen... Nichts besser für den Magen. *Holt Flasche und zwei Gläschen vom Büfett, setzt alles auf den Tisch vor Loth.* Grand Champagne, feinste Nummer; ich kann ihn empfehlen. — Möchtest du nicht...?

LOTH. Danke.

HOFFMANN *kippt das Gläschen in den Mund.* Oah! — na, nu bin ich ganz Ohr.

LOTH. Kurz und gut: da bin ich eben sehr stark hineinge-fallen.

HOFFMANN. Mit zwei Jahren, glaub' ich?!

LOTH. Ganz recht! Du scheinst es ja doch also zu wissen. Zwei Jahre Gefängnis bekam ich, und nach dem haben sie mich noch von der Universität relegiert. Damals war ich — ein-undzwanzig. — Nun! in diesen zwei Gefängnisjahren habe ich mein erstes volkswirtschaftliches Buch geschrieben. Daß es gerade ein Vergnügen gewesen, zu brummen, müßte ich allerdings lügen.

HOFFMANN. Wie man doch einmal so sein konnte! Merkwür-dig! So was hat man sich nun allen Ernstes in den Kopf gesetzt. Bare Kindereien sind es gewesen, kann mir nicht helfen, du! — nach Amerika auswandern, 'n Dutzend Gelb-schnäbel wie wir! — wir und Musterstaat gründen! Köst-liche Vorstellung!

LOTH. Kindereien?! — tjaa! In gewisser Beziehung sind es auch wirklich Kindereien gewesen! Wir unterschätzten die Schwierigkeiten eines solchen Unternehmens.

HOFFMANN. Und daß du nun wirklich hinausgingst — nach Amerika — allen Ernstes mit leeren Händen... Denk doch mal an, was es heißt, Grund und Boden für einen Muster-staat mit leeren Händen erwerben zu wollen: das ist ja bei-nahe ver... jedenfalls ist es einzig naiv.

LOTH. Ach, gerade mit dem Ergebnis meiner Amerikafahrt bin ich ganz zufrieden.

HOFFMANN, *laut auflachend.* Kaltwasserkur, vorzügliche Re-sultate, wenn du es so meinst...

LOTH. Kann sein, ich bin etwas abgekühlt worden; damit ist mir aber gar nichts Besonderes geschehen. Jeder Mensch macht seinen Abkühlungsprozeß durch. Ich bin jedoch weit davon entfernt, den Wert der ... nun, sagen wir hitzigen Zeit zu verkennen. Sie war auch gar nicht so furchtbar naiv, wie du sie hinstellst.

HOFFMANN. Na, ich weiß nicht?!

LOTH. Du brauchst nur an die Durchschnittskindereien un-serer Tage zu denken: das Couleurwesen auf den Universitäten, das Saufen, das Pauken. Warum all der Lärm? Wie Fips zu sagen pflegte: um Hekuba! — Um Hekuba drehte es sich bei uns doch wohl nicht; wir hatten die allerhöchsten menschheitlichen Ziele im Auge. Und abgesehen davon, diese naive Zeit hat bei mir gründlich mit Vorurteilen aufgeräumt. Ich bin mit der Scheinreligion und Scheinmoral und mit noch manchem andern...

HOFFMANN. Das kann ich dir ja auch ohne weiteres zugeben. Wenn ich jetzt doch immerhin ein vorurteilsloser, aufgeklärter Mensch bin, dann verdanke ich das, wie ich gar nicht leugne, den Tagen unseres Umgangs. — Natürlicherweise! — Ich bin der letzte, das zu leugnen. — Ich bin überhaupt in keiner Beziehung Unmensch. Nur muß man nicht mit dem Kopfe durch die Wand rennen wollen. — Man muß nicht die Übel, an denen die gegenwärtige Generation, leider Gottes, krankt, durch noch größere verdrängen wollen; man muß — alles ruhig seinen natürlichen Gang gehen lassen. Was kommen soll, kommt! Praktisch, praktisch muß man verfahren! Erinnere dich! Ich habe das früher gerade so betont, und dieser Grundsatz hat sich bezahlt gemacht! — Das ist es ja eben. Ihr alle — du mit eingerechnet! — ihr verfahrt höchst unpraktisch.

LOTH. Erklär mir eben mal, wie du das meinst.

HOFFMANN. Einfach! Ihr nützt eure Fähigkeiten nicht aus. Zum Beispiel du: 'n Kerl wie du, mit Kenntnissen, Energie etcetera, was hätte dir nicht offengestanden! Statt dessen, was machst du? Kompromittierst dich von vornherein derart... na, Hand aufs Herz! Hast du das nicht manchmal bereut?

LOTH. Ich konnte nicht gut bereuen, weil ich ohne Schuld verurteilt worden bin.

HOFFMANN. Kann ich ja nicht beurteilen, weißt du.

LOTH. Du wirst das gleich können, wenn ich dir sage: die Anklageschrift führte aus, ich hätte unseren Verein Vancouver-Island nur zum Zwecke parteilicher Agitation ins Leben gerufen; dann sollte ich auch Geld zu Parteizwecken gesammelt haben. Du weißt ja nun, daß es uns mit unseren kolonialen Bestrebungen ernst war, und was das Geldsammeln anlangt, so hast du ja selbst gesagt, daß wir alle miteinander leere Hände hatten. Die Anklage enthält also kein wahres Wort, und als Mitglied solltest du das doch...

HOFFMANN. Na — Mitglied war ich doch wohl eigentlich nicht so recht. — Übrigens glaube ich dir selbstredend. — Die Richter sind halt immer nur Menschen, muß man nehmen. — Jedenfalls hättest du, um praktisch zu handeln, auch den Schein meiden müssen. Überhaupt: ich habe mich in der Folge manchmal baß gewundert über dich: Redakteur der Arbeiterkanzel, des obskursten aller Käseblättchen — Reichstagskandidat des süßen Pöbels! Und was hast du nu davon? — versteh mich nicht falsch! Ich bin der letzte, der es an Mitleid mit dem armen Volke fehlen läßt, aber wenn etwas geschieht, dann mag es von oben herab geschehen! Es muß sogar von oben herab geschehen, das Volk weiß nun mal nicht, was ihm not tut — das Von-unten-Herauf, siehst du, das eben nenne ich das Mit-dem-Kopf-durch-die-Wand-Rennen.

LOTH. Ich bin aus dem, was du eben gesagt hast, nicht klug geworden.

HOFFMANN. Na, ich meine eben, sieh mich an! Ich habe die Hände frei: ich könnte nu schon anfangen, was für die Ideale zu tun. — Ich kann wohl sagen, mein praktisches Programm ist nahezu durchgeführt. Aber ihr ... immer mit leeren Händen, was wollt denn ihr machen?

LOTH. Ja, wie man so hört: du segelst stark auf Bleichröder zu.

HOFFMANN, *geschmeichelt.* Zu viel Ehre — vorläufig noch. Wer sagt das? — Man arbeitet eben seinen soliden Stiefel fort. Das belohnt sich naturgemäß — wer sagt das übrigens?

LOTH. Ich hörte darüber in Jauer zwei Herren am Nebentisch reden.

HOFFMANN. Ä! du! — Ich habe Feinde! — Was sagten die denn übrigens?

LOTH. Nichts Besonderes. Durch sie erfuhr ich, daß du dich zur Zeit eben hier auf das Gut deiner Schwiegereltern zurückgezogen hast.

HOFFMANN. Was die Menschen nicht alles ausschnüffeln! Lieber Freund! Du glaubst nicht, wie ein Mann in meiner Stellung auf Schritt und Tritt beobachtet wird. Das ist ja auch so 'n Übelstand des Reich... Die Sache ist nämlich die: ich erwarte der größeren Ruhe und gesünderen Luft wegen die Niederkunft meiner Frau hier.

LOTH. Wie paßt denn das aber mit dem Arzt? Ein guter Arzt ist doch in solchen Fällen von allergrößter Wichtigkeit. Und hier auf dem Dorfe...

HOFFMANN. Das ist es eben, der Arzt hier ist ganz besonders tüchtig; und, weißt du, soviel habe ich bereits weg: Gewissenhaftigkeit geht beim Arzt über Genie.

LOTH. Vielleicht ist sie eine Begleiterscheinung des Genies im Arzt.

HOFFMANN. Mein'twegen, jedenfalls hat unser Arzt Gewissen. Er ist nämlich auch so 'n Stück Ideologe, halb und halb unser Schlag — reüssiert schauderhaft unter Bergleuten und auch unter dem Bauernvolk. Man vergöttert ihn geradezu. Zu Zeiten übrigens 'n recht unverdaulicher Patron, 'n Mischmasch von Härte und Sentimentalität. Aber, wie gesagt, Gewissenhaftigkeit weiß ich zu schätzen! — Unbedingt! — Eh ich's vergesse... es ist mir nämlich darum zu tun... man muß immer wissen, wessen man sich zu versehen hat... Höre!... sage mir doch... ich seh' dir's an, die Herren am Nebentische haben nichts Gutes über mich gesprochen. — Sag mir doch, bitte, was sie gesprochen haben.

LOTH. Das sollte ich wohl nicht tun, denn ich will dich nachher um zweihundert Mark bitten, geradezu bitten, denn ich werde sie dir wohl kaum je wiedergeben können.

HOFFMANN *zieht ein Scheckbuch aus der Brusttasche, füllt einen Scheck aus, übergibt ihn Loth.* Bei irgendeiner Reichsbankfiliale... Es ist mir 'n Vergnügen...

LOTH. Deine Fixigkeit übertrifft alle meine Erwartungen. — Na! — ich nehm' es dankbar an, und du weißt ja: übel angewandt ist es auch nicht.

HOFFMANN, *mit Anflug von Pathos.* Ein Arbeiter ist seines Lohnes wert! — Doch jetzt, Loth, sei so gut, sag mir, was die Herren am Nebentisch...

LOTH. Sie haben wohl Unsinn gesprochen.

HOFFMANN. Sag mir's trotzdem, bitte! — Es ist mir lediglich interessant, lediglich interessant —

LOTH. Es war davon die Rede, daß du hier einen andern aus der Position verdrängt hättest — einen Bauunternehmer Müller.

HOFFMANN. Natürlich! diese Geschichte!

LOTH. Ich glaube, der Mann sollte mit deiner jetzigen Frau verlobt gewesen sein.

HOFFMANN. War er auch. — Und was weiter?

LOTH. Ich erzähle dir alles, wie ich es hörte, weil ich annehme: es kommt dir darauf an, die Verleumdung möglichst getreu kennenzulernen.

HOFFMANN. Ganz recht! Also?

LOTH. Soviel ich heraushörte, soll dieser Müller den Bau einer Strecke der hiesigen Gebirgsbahn übernommen haben.

HOFFMANN. Ja! Mit lumpigen zehntausend Talern Vermögen. Als er einsah, daß dieses Geld nicht zureichte, wollte er schnell eine Witzdorfer Bauerntochter fischen; meine jetzige Frau sollte diejenige sein, welche.

LOTH. Er hätte es, sagten sie, mit der Tochter, du mit dem Alten gemacht. — Dann hat er sich ja wohl erschossen?! — Auch seine Strecke hättest du zu Ende gebaut und noch sehr viel Geld dabei verdient.

HOFFMANN. Darin ist einiges Wahre enthalten, doch — ich könnte dir eine Verknüpfung der Tatsachen geben... Wußten sie am Ende noch mehr dergleichen erbauliche Dinge?

LOTH. Ganz besonders — muß ich dir sagen — regten sie sich über etwas auf: sie rechneten sich vor, welch ein enormes Geschäft in Kohlen du jetzt machtest, und nannten dich einen... na, schmeichelhaft war es eben nicht für dich. Kurz gesagt, sie erzählten, du hättest die hiesigen dummen Bauern beim Champagner überredet, einen Vertrag zu unterzeichnen, in welchem dir der alleinige Verschleiß aller in ihren Gruben geförderten Kohle übertragen worden ist gegen eine Pachtsumme, die fabelhaft gering sein sollte.

HOFFMANN, *sichtlich peinlich berührt, steht auf.* Ich will dir was sagen, Loth... Ach, warum auch noch darin rühren? Ich schlage vor, wir denken ans Abendbrot, mein Hunger ist mörderisch. — Mörderischen Hunger habe ich.

Er drückt auf den Knopf einer elektrischen Leitung, deren Draht in Form einer grünen Schnur auf das Sofa herunterhängt; man hört das Läuten einer elektrischen Klingel.

LOTH. Nun, wenn du mich hierbehalten willst — dann sei so gut ... ich möchte mich eben 'n bißchen säubern.

HOFFMANN. Gleich sollst du alles Nötige... *Eduard tritt ein, Diener in Livree.* Eduard! führen Sie den Herrn ins Gastzimmer.

EDUARD. Sehr wohl, gnädiger Herr.

HOFFMANN, *Loth die Hand drückend.* In spätestens fünfzehn Minuten möchte ich dich bitten, zum Essen herunterzukommen.

LOTH. Übrig Zeit, Also Wiedersehen!!

HOFFMANN. Wiedersehen!

Eduard öffnet die Tür und läßt Loth vorangehen. Beide ab. Hoffmann kratzt sich den Hinterkopf, blickt nachdenklich auf den Fußboden, geht dann auf die Tür rechts zu, deren Klinke er bereits gefaßt hat, als Helene, die hastig durch die Glastür eingetreten ist, ihn anruft.

HELENE. Schwager! Wer war das?

HOFFMANN. Das war einer von meinen Gymnasialfreunden, der älteste sogar, Alfred Loth.

HELENE, *schnell.* Ist er schon wieder fort?

HOFFMANN. Nein! Er wird mit uns zu Abend essen. — Womöglich ... ja, womöglich auch hier übernachten.

HELENE. O Jeses! Da komme ich nicht zum Abendessen.

HOFFMANN. Aber Helene!

HELENE. Was brauche ich auch unter gebildete Menschen zu kommen. Ich will nur ruhig weiter verbauern.

HOFFMANN. Ach, immer diese Schrullen! Du wirst mir sogar den großen Dienst erweisen und die Anordnungen für den Abendtisch treffen. Sei so gut! — Wir machen's 'n bißchen feierlich. Ich vermute nämlich, er führt irgendwas im Schilde.

HELENE. Was meinst du, im Schilde führen?

HOFFMANN. Maulwurfsarbeit — wühlen, wühlen. — Davon verstehst du nun freilich nichts. — Kann mich übrigens täuschen, denn ich habe bis jetzt vermieden, auf diesen Gegenstand zu kommen. Jedenfalls mach alles recht einladend, auf diese Weise ist den Leuten noch am leichtesten... Champagner natürlich! Die Hummern von Hamburg sind angekommen?

HELENE. Ich glaube, sie sind heute früh angekommen.

HOFFMANN. Also Hummern! *Es klopft sehr stark.* Herein!

POSTPAKETTRÄGER, *eine Kiste unterm Arm; eintretend spricht er in singendem Ton.* Eine Kiste.

HELENE. Von wo?

PAKETTRÄGER. Berlin.

HOFFMANN. Richtig! Es werden die Kindersachen von Hertzog sein. *Er besieht das Paket und nimmt den Abschnitt.* Ja, ja, es sind die Sachen von Hertzog.

HELENE. Diese Kiste voll? Du übertreibst.

HOFFMANN *lohnt den Paketträger ab.*

PAKETTRÄGER, *ebenso halb singend.* Schö'n gu'n Abend. *Ab.*

HOFFMANN. Wieso übertreiben?

HELENE. Nun, hiermit kann man doch wenigstens drei Kinder ausstatten.

HOFFMANN. Bist du mit meiner Frau spazierengegangen?

HELENE. Was soll ich machen, wenn sie immer gleich müde wird?

HOFFMANN. Ach was, immer gleich müde. — Sie macht mich unglücklich! Ein und eine halbe Stunde ... sie soll doch um Gottes willen tun, was der Arzt sagt. Zu was hat man denn den Arzt, wenn...

HELENE. Dann greife du ein, schaff die Spillern fort! Was soll ich gegen so 'n altes Weib machen, die ihr immer nach dem Munde geht!

HOFFMANN. Was denn? ... ich als Mann ... was soll ich als Mann?... und außerdem, du kennst doch die Schwiegermama.

HELENE, *bitter.* Allerdings.

HOFFMANN. Wo ist sie denn jetzt?

HELENE. Die Spillern stutzt sie heraus, seit Herr Loth hier ist; sie wird wahrscheinlich zum Abendbrot wieder ihr Rad schlagen.

HOFFMANN, *schon wieder in eigenen Gedanken, macht einen Gang durchs Zimmer; heftig.* Es ist das letzte Mal, auf Ehre, daß ich so etwas hier in diesem Hause abwarte. Auf Ehre!

HELENE. Ja, du hast es eben gut, du kannst gehen, wohin du willst.

HOFFMANN. Bei mir zu Hause wäre der unglückliche Rückfall in dies schauderhafte Laster auch sicher nicht vorgekommen.

HELENE. Mich mache dafür nicht verantwortlich! Von mir hat sie den Branntwein nicht bekommen. Schaff du nur die Spillern fort. Ich sollte bloß 'n Mann sein!

HOFFMANN, *seufzend.* Ach, wenn es nur erst wieder vorüber wär'! — *In der Tür rechts.* Also Schwägerin, du tust mir den Gefallen: einen recht appetitlichen Abendtisch! Ich erledige schnell noch eine Kleinigkeit.

HELENE *drückt auf den Klingelknopf. Miele kommt.* Miele, decken Sie den Tisch! Eduard soll Sekt kalt stellen und vier Dutzend Austern öffnen.

MIELE, *unterdrückt, patzig.* Sie kinn'n 's 'm salber sagen, a nimmt nischt oa vu mir, a meent immer: a wär ock beim Inschinnär gemit't.

HELENE. Dann schick ihn wenigstens rein. *Miele ab. Helene tritt vor den Spiegel, ordnet dies und das an ihrer Toilette; währenddes tritt Eduard ein. — Helene, immer noch vor dem Spiegel.* Eduard, stellen Sie Sekt kalt und öffnen Sie Austern! Herr Hoffmann hat es befohlen.

EDUARD. Sehr wohl, Fräulein. *Eduard ab. Gleich darauf klopft es an die Mitteltür.*

HELENE *fährt zusammen.* Großer Gott! — *Zaghaft.* Herein! — *lauter und fester.* Herein!

LOTH *tritt ein ohne Verbeugung.* Ach, um Verzeihung! — ich wollte nicht stören —, mein Name ist Loth. *Helene verbeugt sich tanzstundenmäßig.*

STIMME HOFFMANNS *durch die geschlossene Zimmertür.* Kinder! keine Umstände! — Ich komme gleich heraus. Loth! es ist meine Schwägerin Helene Krause! Und Schwägerin! es ist mein Freund Alfred Loth! Betrachtet euch als vorgestellt.

HELENE. Nein, über dich aber auch!

LOTH. Ich nehme es ihm nicht übel, Fräulein! Bin selbst, wie man mir sehr oft gesagt hat, in Sachen des guten Tons ein halber Barbar. — Aber wenn ich Sie gestört habe, so...

HELENE. Bitte — Sie haben mich gar nicht gestört, durchaus nicht. *Befangenheitspause, hierauf.* Es ist ... es ist schön von Ihnen, daß — Sie meinen Schwager aufgesucht haben. Er beklagt sich immer, von ... er bedauert immer, von seinen Jugendfreunden so ganz vergessen zu sein.

LOTH. Ja, es hat sich zufällig so getroffen. — Ich war immer in Berlin und daherum — wußte eigentlich nicht, wo Hoffmann steckte. Seit meiner Breslauer Studienzeit war ich nicht mehr in Schlesien.

HELENE. Also nur so zufällig sind Sie auf ihn gestoßen?

LOTH. Nur ganz zufällig — und zwar gerade an dem Ort, wo ich meine Studien zu machen habe.

HELENE. Ach, Spaß! — Witzdorf und Studien machen, nicht möglich! in diesem armseligen Neste?!

LOTH. Armselig nennen Sie es? — Aber es liegt doch hier ein ganz außergewöhnlicher Reichtum.

HELENE. Ja doch! in der Hinsicht...

LOTH. Ich habe nur immer gestaunt. Ich kann Sie versichern, solche Bauernhöfe gibt es nirgendwo anders; da guckt ja der Überfluß wirklich aus Türen und Fenstern.

HELENE. Da haben Sie recht. In mehr als einem Stalle hier fressen Kühe und Pferde aus marmornen Krippen und neu-silbernen Raufen! Das hat die Kohle gemacht, die unter unseren Feldern gemutet worden ist, die hat die armen Bauern im Handumdrehen steinreich gemacht. *Sie weist auf das Bild an der Hinterwand.* Sehen Sie da — mein Groß-vater war Frachtfuhrmann: das Gütchen gehörte ihm, aber der geringe Boden ernährte ihn nicht, da mußte er Fuhren machen. — Das dort ist er selbst in der blauen Bluse — man trug damals noch solche blauen Blusen. — Auch mein Vater als junger Mensch ist darin gegangen. — Nein! — so meinte ich es nicht — mit dem »armselig«; nur ist es so öde hier. So ... gar nichts für den Geist gibt es. Zum Sterben lang-weilig ist es.

Miele und Eduard, ab- und zugehend, decken den Tisch rechts im Hintergrunde.

LOTH. Gibt es denn nicht zuweilen Bälle oder Kränzchen?

HELENE. Nicht einmal das gibt es. Die Bauern spielen, jagen, trinken ... was sieht man den ganzen Tag? *Sie ist vor das Fenster getreten und weist mit der Hand hinaus.* Hauptsäch-lich solche Gestalten.

LOTH. Hm! Bergleute.

HELENE. Welche gehen zur Grube, welche kommen von der Grube: das hört nicht auf. — Wenigstens ich sehe immer Bergleute. Denken Sie, daß ich alleine auf die Straße mag? Höchstens auf die Felder, durch das Hintertor. Es ist ein zu rohes Pack! — Und wie sie einen immer anglotzen, so schrecklich finster — als ob man geradezu was verbrochen hätte. — — Im Winter, wenn wir so manchmal Schlitten gefahren sind, und sie kommen dann in der Dunkelei in großen Trupps über die Berge, im Schneegestöber, und sie sollen ausweichen, da gehen sie vor den Pferden her und weichen nicht aus. Da nehmen die Bauern manchmal den Peitschenstiel, anders kommen sie nicht durch. Ach, und dann schimpfen sie hinterher. Hu! ich habe mich manchmal so entsetzlich geängstigt.

LOTH. Und nun denken Sie an: gerade um dieser Menschen willen, vor denen Sie sich so sehr fürchten, bin ich hierhergekommen.

HELENE. Nein, aber...

LOTH. Ganz im Ernst, sie interessieren mich hier mehr als alles andere.

HELENE. Niemand ausgenommen?

LOTH. Nein.

HELENE. Auch mein Schwager nicht ausgenommen?

LOTH. Nein! — Das Interesse für diese Menschen ist ein ganz anderes — höheres ... verzeihen Sie, Fräulein! Sie können das am Ende doch wohl nicht verstehen.

HELENE. Wieso nicht? Ich verstehe Sie sehr gut, Sie ... *Sie läßt einen Brief aus der Tasche gleiten, Loth bückt sich danach.* Ach, lassen Sie... es ist nicht wichtig, nur eine gleichgültige Pensionskorrespondenz.

LOTH. Sie sind in Pension gewesen?

HELENE. Ja, in Herrnhut. Sie müssen nicht denken, daß ich ... nein, nein, ich verstehe Sie schon.

LOTH. Ich meine, die Arbeiter interessieren mich um ihrer selbst willen.

HELENE. Ja, freilich — es ist ja sehr interessant ... so ein Bergmann ... wenn man's so nehmen will ... es gibt ja Gegenden, wo man gar keine findet, aber wenn man sie so täglich...

LOTH. Auch wenn man sie täglich sieht, Fräulein... Man muß sie sogar täglich sehen, um das Interessante an ihnen herauszufinden.

HELENE. Nun, wenn es so schwer herauszufinden... was ist es denn dann? das Interessante, mein' ich.

LOTH. Es ist zum Beispiel interessant, daß diese Menschen, wie Sie sagen, immer so gehässig oder finster blicken.

HELENE. Wieso meinen Sie, daß das besonders interessant ist?

LOTH. Weil es nicht das gewöhnliche ist. Wir andern pflegen doch nur zeitweilig und keineswegs immer so zu blicken.

HELENE. Ja, weshalb blicken sie denn nur immer so... so gehässig, so mürrisch? Es muß doch einen Grund haben.

LOTH. Ganz recht! und den möchte ich gern herausfinden.

HELENE. Ach, Sie sind! Sie lügen mir was vor. Was hätten Sie denn davon, wenn Sie das auch wüßten?

LOTH. Man könnte vielleicht Mittel finden, den Grund, warum diese Leute immer so freudlos und gehässig sein müssen, wegzuräumen; — man könnte sie vielleicht glücklicher machen.

HELENE, *ein wenig verwirrt.* Ich muß Ihnen ehrlich sagen, daß ... aber gerade jetzt verstehe ich Sie doch vielleicht ein ganz klein wenig. — Es ist mir nur ... nur so ganz neu, so ganz — neu!

HOFFMANN, *durch die Tür rechts eintretend. Er hat eine Anzahl Briefe in der Hand.* So! da bin ich wieder. — Eduard! daß die Briefe noch vor acht auf der Post sind! *Er händigt dem Diener die Briefe ein; der Diener ab.* So, Kinder! jetzt können wir speisen. — Unerlaubte Hitze hier! September und solche Hitze! *Er hebt den Champagner aus dem Eiskübel.* Veuve Cliquot: Eduard kennt meine stille Liebe. *Zu Loth gewendet.* Habt ja furchtbar eifrig disputiert. *Tritt an den fertig gedeckten, mit Delikatessen überladenen Abendtisch, reibt sich die Hände.* Na! das sieht ja recht gut aus! *Mit einem verschmitzten Blick zu Loth hinüber.* Meinst du nicht auch? — Übrigens, Schwägerin! wir bekommen Besuch: Kahl Wilhelm. Er war auf dem Hof.

HELENE *macht eine ungezogene Gebärde.*

HOFFMANN. Aber Beste! Du tust fast, als ob ich ihn ... was kann ich denn dafür? Hab' ich ihn etwa gerufen? *Man hört schwere Tritte draußen im Hausflur.* Ach! das Unheil schreitet schnelle.

Kahl tritt ein, ohne vorher angeklopft zu haben. Er ist ein vierundzwanzigjähriger plumper Bauernbursch, dem man es ansieht, daß er, soweit möglich, gern den feinen, noch mehr aber den reichen Mann herausstecken möchte. Seine Gesichtszüge sind grob, der Gesichtsausdruck vorwiegend dummpfiffig. Er ist bekleidet mit einem grünen Jackett, bunter Samtweste, dunklen Beinkleidern und Glanzlack-Schaft-

*stiefeln. Als Kopfbedeckung dient ihm ein grüner Jägerhut
mit Spielhahnfeder. Das Jackett hat Hirschhornknöpfe, an
der Uhrkette Hirschzähne etc. Stottert.*

KAHL. Gun'n Abend minander! *Er erblickt Loth, wird sehr
verlegen und macht still stehend eine ziemlich klägliche Figur.*

HOFFMANN, *tritt zu ihm und reicht ihm die Hand, aufmun-
ternd.* Guten Abend, Herr Kahl!

HELENE, *unfreundlich.* Guten Abend.

KAHL, *geht mit schweren Schritten quer durch das ganze Zimmer auf Helene zu und gibt ihr die Hand.* 'n Abend och,
Lene.

HOFFMANN, *zu Loth.* Ich stelle dir hiermit Herrn Kahl vor,
unseren Nachbarssohn.

KAHL, *grinst und dreht den Hut. Verlegenheitsstille.*

HOFFMANN. Zu Tisch, Kinder! Fehlt noch jemand? Ach, die
Schwiegermama. Miele! bitten Sie Frau Krause zu Tisch.
Miele ab durch die Mitteltür.

MIELE, *draußen im Hausflur schreiend.* Frau!! — Frau!!
Assa kumma! Sie sill'n assa kumma!

*Helene und Hoffmann blicken einander an und lachen ver-
ständnisinnig, dann blicken sie vereint auf Loth.*

HOFFMANN, *zu Loth.* Ländlich, sittlich!

*Frau Krause erscheint, furchtbar aufgedonnert. Seide und
kostbarer Schmuck. Haltung und Kleidung verraten Hoffart,
Dummstolz, unsinnige Eitelkeit.*

HOFFMANN. Ah! da ist Mama! — Du gestattest, daß ich dir
meinen Freund Doktor Loth vorstelle.

FRAU KRAUSE *macht einen undefinierbaren Knicks.* Ich bin so
frei! *Nach einer kleinen Pause.* Nein aber auch, Herr Doktor, nehmen Sie mir's ock bei Leibe nicht ibel! Ich muß
mich zuerscht muß ich mich vor Ihn' vertefentieren — *sie
spricht je länger, um so schneller —,* vertefentieren wegen
meiner vorhinigten Benehmigung. Wissen Se, verstihn Se,
es komm ein der Drehe bei uns eine so ane grußmächtige
Menge Stremer ... Se kinn's ni gleba, ma hoot mit dan
Battelvulke seine liebe Not. A su enner, dar maust akrat
wie a Ilster. Uf da Pfennig kimmt's ins ne ernt oa, ne ock
ne, ma braucht a ni dreimol rimzudrehn, au ken'n Toaler
nich, ebb ma 'n ausgibbt. De Krausa-Ludwig'n, die iis gei-
zig, schlimmer wie a Homster egelganz, di ginnt ke'm

Luder nischt. Ihrer is gesturba aus Arjer, weil a lumpigte
zwetausend ei Brassel verloern hoot. Ne, ne! a su sein mir
dorchaus nicht. Sahn Se, doas Buffett kust't mich zwee-
hundert Toaler, a Transpurt ni gerechnet; na, d'r Beron
Klinkow koan's au ne andersch honn.

*Frau Spiller ist kurz nach Frau Krause ebenfalls eingetreten.
Sie ist klein, schief und mit den zurückgelegten Sachen der
Frau Krause herausgestutzt. Während Frau Krause spricht,
hält sie mit einer gewissen Andacht die Augen zu ihr auf-
geschlagen. Sie ist etwa fünfundfünfzig Jahre alt; ihr Aus-
atmen geschieht jedesmal mit einem leisen Stöhnen, das, auch
wenn sie redet, regelmäßig wie »m« hörbar wird.*

FRAU SPILLER, *mit unterwürfigem, wehmütig geziertem Moll-
Ton, sehr leise.* Der Baron Klinkow haben genau dasselbe
Buffett — m—.

HELENE, *zu Frau Krause.* Mama! wollen wir uns nicht erst
setzen, dann...

FRAU KRAUSE *wendet sich blitzschnell und trifft Helene mit
einem vernichtenden Blick; kurz und herrisch.* Schickt sich
doas?

*Frau Krause, im Begriff sich zu setzen, erinnert sich, daß
das Tischgebet noch nicht gesprochen ist, und faltet mecha-
nisch, doch ohne ihrer Bosheit im übrigen Herr zu sein, die
Hände.*

FRAU SPILLER *spricht das Tischgebet.*

> Komm, Herr Jesu, sei unser Gast.
> Segne, was du uns bescheret hast.
> Amen.

*Alle setzen sich mit Geräusch. Mit dem Zulangen und Zu-
reichen, das einige Zeit in Anspruch nimmt, kommt man
über die peinliche Situation hinweg.*

HOFFMANN, *zu Loth.* Lieber Freund, du bedienst dich wohl!?
Austern?

LOTH. Nun, will probieren. Es sind die ersten Austern, die
ich esse.

FRAU KRAUSE *hat soeben eine Auster geschlürft. Mit vollem
Mund.* In dar Saisong, mein'n Se woll?

LOTH. Ich meine überhaupt.

Frau Krause und Frau Spiller wechseln Blicke.

HOFFMANN, *zu Kahl, der eine Zitrone mit den Zähnen aus-*

preßt. Zwei Tage nicht gesehen, Herr Kahl! Tüchtig Mäuse gejagt in der Zeit?

KAHL. N..n..nee!

HOFFMANN *zu Loth.* Herr Kahl ist nämlich ein leidenschaftlicher Jäger.

KAHL. D..d..die M..mm..maus, das ist 'n in..in..infamtes Am..am..amfff..fibium.

HELENE *platzt heraus.* Zu lächerlich ist das; alles schießt er tot, Zahmes und Wildes.

KAHL. N..nächten hab ich d..d..die alte Szss..sau vu ins t..tot g..g..geschossen.

LOTH. Da ist wohl Schießen Ihre Hauptbeschäftigung?

FRAU KRAUSE. Herr Kahl tut's ock bloßig zum Prifatvergnigen.

FRAU SPILLER. Wald, Wild, Weib pflegten Seine Exzellenz der Herr Minister von Schadendorf oftmals zu sagen.

KAHL. I..i..iberm..m..murne hab'n mer T..t..tau..t..-taubenschießen.

LOTH. Was ist denn das: Taubenschießen?

HELENE. Ach, ich kann so was nicht leiden; es ist doch nichts als eine recht unbarmherzige Spielerei. Ungezogene Jungens, die mit Steinen nach Fensterscheiben zielen, tun etwas Besseres.

HOFFMANN. Du gehst zu weit, Helene.

HELENE. Ich weiß nicht — meinem Gefühl nach hat es weit mehr Sinn, Fenster einzuschmeißen, als Tauben an einem Pfahl festzubinden und dann mit Kugeln nach ihnen zu schießen.

HOFFMANN. Na, Helene — man muß doch aber bedenken...

LOTH, *irgend etwas mit Messer und Gabel schneidend.* Es ist ein schandhafter Unfug.

KAHL. Um die p..poar Tauba...!

FRAU SPILLER, *zu Loth.* Der Herr Kahl — m—, müssen Sie wissen, haben zweihundert Stück im Schlage.

LOTH. Die ganze Jagd ist ein Unfug.

HOFFMANN. Aber ein unausrottbarer. Da werden zum Beispiel eben jetzt wieder fünfhundert lebende Füchse gesucht; alle Förster hier herum und auch sonst in Deutschland verlegen sich aufs Fuchsgraben.

LOTH. Was macht man denn mit den vielen Füchsen?

HOFFMANN. Sie kommen nach England, wo sie die Ehre haben, von Lords und Ladys gleich vom Käfig weg zu Tode gehetzt zu werden.

LOTH. Muhammedaner oder Christ, Bestie bleibt Bestie.

HOFFMANN. Darf ich dir Hummer reichen, Mama?

FRAU KRAUSE. Meinswegen, ei dieser Saisong sind se sehr gutt!

FRAU SPILLER. Gnädige Frau haben eine so feine Zunge — m—!

FRAU KRAUSE, *zu Loth*. Hummer ha'n Sie woll auch noch nich gegassen, Herr Dukter?

LOTH. Ja, Hummer habe ich schon hin und wieder gegessen — an der See oben, in Warnemünde, wo ich geboren bin.

FRAU KRAUSE, *zu Kahl*. Gell, Wilhelm, ma weeß wirklich'n Gott manchmal nich mee, was ma assen sull?

KAHL. J..j..ja, w..w..weeß..weeß G..Gott, Muhme.

EDUARD *will Loth Champagner eingießen*. Champagner?

LOTH *hält sein Glas zu*. Nein! ... danke!

HOFFMANN. Mach keinen Unsinn!

HELENE. Wie, Sie trinken nicht?

LOTH. Nein, Fräulein.

HOFFMANN. Na, hör mal an: das ist aber doch ... das ist langweilig.

LOTH. Wenn ich tränke, würde ich noch langweiliger werden.

HELENE. Das ist interessant, Herr Doktor.

LOTH, *ohne Takt*. Daß ich langweiliger werde, wenn ich Wein trinke?

HELENE, *etwas betreten*. Nein, ach nein, daß ... daß Sie nicht trinken ..., daß Sie überhaupt nicht trinken, meine ich.

LOTH. Warum soll das interessant sein?

HELENE, *sehr rot werdend*. Es ist ... ist nicht das gewöhnliche. *Wird noch röter und sehr verlegen*.

LOTH, *tolpatschig*. Da haben Sie recht, leider.

FRAU KRAUSE, *zu Loth*. De Flasche kust uns fufza Mark, Sie kinn a dreiste trink'n. Direkt vu Reims iis a, mir satz'n Ihn' gewiß nischt Schlechtes vier, mir mieja salber nischt Schlechtes.

FRAU SPILLER. Ach, glauben Sie mich, —m—, Herr Doktor, wenn Seine Exzellenz der Herr Minister von Schadendorf —m— so eine Tafel geführt hätten...

KAHL. Ohne men'n Wein kennt' ich nich laben.

HELENE, *zu Loth*. Sagen Sie uns doch, warum Sie nicht trinken!

LOTH. Das kann gerne geschehen, ich...

HOFFMANN. Ä, was! alter Freund! *Er nimmt dem Diener die Flasche ab, um nun seinerseits Loth zu bedrängen.* Denk dran, wie manche hochfidele Stunde wir früher miteinander...

LOTH. Nein, bitte bemühe dich nicht, es...

HOFFMANN. Trink heut mal!

LOTH. Es ist alles vergebens.

HOFFMANN. Mir zu Liebe!

Hoffmann will eingießen, Loth wehrt ab; es entsteht ein kleines Handgemenge.

LOTH. Nein! ... nein, wie gesagt ... nein! ... nein, danke.

HOFFMANN. Aber nimm mir's nicht übel ... das ist eine Marotte.

KAHL, *zu Frau Spiller*. Wer nich will, dar hat schunn. *Frau Spiller nickt ergeben.*

HOFFMANN. Übrigens, des Menschen Wille ... und so weiter. Soviel sage ich nur: ohne ein Glas Wein bei Tisch...

LOTH. Ein Glas Bier zum Frühstück...

HOFFMANN. Nun ja, warum nicht? Ein Glas Bier ist was sehr Gesundes.

LOTH. Einen Kognak hie und da...

HOFFMANN. Na, wenn man das nicht mal haben sollte... zum Asketen machst du mich nun und nimmer. Das heißt ja dem Leben allen Reiz nehmen.

LOTH. Das kann ich nicht sagen. Ich bin mit den normalen Reizen, die mein Nervensystem treffen, durchaus zufrieden.

HOFFMANN. Eine Gesellschaft, die trockenen Gaumens beisammenhockt, ist und bleibt eine verzweifelt öde und langweilige —, für die ich mich im allgemeinen bedanke.

FRAU KRAUSE. Bei a Adlijen wird doch auch a so viel getrunk'n.

FRAU SPILLER, *durch eine Verbeugung des Oberkörpers ergebenst bestätigend.* Es ist Schentelmen leicht, viel Wein zu trinken.

LOTH, *zu Hoffmann.* Mir geht es umgekehrt; mich langweilt im allgemeinen eine Tafel, an der viel getrunken wird.

HOFFMANN. Es muß natürlich mäßig geschehen.

LOTH. Was nennst du mäßig?

HOFFMANN. Nun ... daß man noch immer bei Besinnung bleibt.

LOTH. Aaah! ... also du gibst zu: die Besinnung ist im allgemeinen durch den Alkoholgenuß sehr gefährdet. — Siehst du! deshalb sind mir Kneiptafeln — langweilig.

HOFFMANN. Fürchtest du denn, so leicht deine Besinnung zu verlieren?

KAHL. Iiii....i..ich habe n..n..neulich ene Flasche Rrr...-r..rü..rüd..desheimer, ene Flasche Sssssekt get..t..trunken. Obendrauf d..d..d..ann n..och eine Flasche B..b..-bordeaux, aber besuffen woar ich no n..nich.

LOTH, *zu Hoffmann.* Ach nein, du weißt ja wohl, daß ich es war, der euch nach Hause brachte, wenn ihr euch übernommen hattet. Ich hab' immer noch die alte Bärennatur: nein, deshalb bin ich nicht so ängstlich.

HOFFMANN. Weshalb denn sonst?

HELENE. Ja, warum trinken Sie denn eigentlich nicht? Bitte, sagen Sie es doch.

LOTH, *zu Hoffmann.* Damit du doch beruhigt bist: ich trinke heut schon deshalb nicht, weil ich mich ehrenwörtlich verpflichtet habe, geistige Getränke zu meiden.

HOFFMANN. Mit anderen Worten, du bist glücklich bis zum Mäßigkeitsvereinshelden herabgesunken.

LOTH. Ich bin völliger Abstinent.

HOFFMANN. Und auf wie lange, wenn man fragen darf, machst du diese...

LOTH. Auf Lebenszeit.

HOFFMANN *wirft Gabel und Messer weg und fährt halb vom Stuhle auf.* Pf! gerechter Strohsack!! *Er setzt sich wieder.* Offen gesagt, für so kindisch ... verzeih das harte Wort.

LOTH. Du kannst es gerne so benennen.

HOFFMANN. Wie in aller Welt bist du nur darauf gekommen?

HELENE. Für so etwas müssen Sie einen sehr gewichtigen Grund haben — denke ich mir wenigstens.

LOTH. Der existiert allerdings. Sie, Fräulein! — und du, Hoffmann! wißt wahrscheinlich nicht, welche furchtbare Rolle der Alkohol in unserem modernen Leben spielt... Lies Bunge, wenn du dir einen Begriff davon machen willst. — Mir ist noch gerade in Erinnerung, was ein gewisser Everett

über die Bedeutung des Alkohols für die Vereinigten Staaten
gesagt hat. — Notabene, es bezieht sich auf einen Zeitraum
von zehn Jahren. Er meint also: der Alkohol hat direkt eine
Summe von drei Milliarden und indirekt von sechshundert
Millionen Dollar verschlungen. Er hat dreihunderttausend
Menschen getötet, hunderttausend Kinder in die Armen-
häuser geschickt, weitere Tausende in die Gefängnisse und
Arbeitshäuser getrieben, er hat mindestens zweitausend
Selbstmorde verursacht. Er hat den Verlust von mindestens
zehn Millionen Dollar durch Brand und gewaltsame Zer-
störung verursacht, er hat zwanzigtausend Witwen und
schließlich nicht weniger als eine Million Waisen geschaffen.
Die Wirkung des Alkohols, das ist das Schlimmste, äußert
sich sozusagen bis ins dritte und vierte Glied. — Hätte ich
nun das ehrenwörtliche Versprechen abgelegt, nicht zu heiraten, dann könnte ich schon eher trinken, so aber...
meine Vorfahren sind alle gesunde, kernige und, wie ich
weiß, äußerst mäßige Menschen gewesen. Jede Bewegung,
die ich mache, jede Strapaze, die ich überstehe, jeder Atem-
zug gleichsam führt mir zu Gemüt, was ich ihnen verdanke. Und dies, siehst du, ist der Punkt: ich bin absolut
fest entschlossen, die Erbschaft, die ich gemacht habe, ganz
ungeschmälert auf meine Nachkommen zu bringen.

FRAU KRAUSE. Du! — Schwiegersuhn! — inse Bargleute saufen woarhaftig zu viel: doas muuß woar sein.

KAHL. Die saufen wie d' Schweine.

HELENE. Ach, so was vererbt sich?

LOTH. Es gibt Familien, die daran zugrunde gehen, Trinkerfamilien.

KAHL, *halb zu Frau Krause, halb zu Helene.* Euer Aaler, dar
treibt's au a wing zu tull.

HELENE, *weiß wie ein Tuch im Gesicht, heftig.* Ach, schwatzen
Sie keinen Unsinn!

FRAU KRAUSE. Nee doch! heer enner a su an patziges Froo-
vulk oa; a su 'ne Prinzessen. Hängst de wieder amol die
Gnädige raus, wie? — A su fährt se a Zukinftigen oa. *Zu
Loth, auf Kahl deutend.* 's is nämlich d'r Zukinftige, missen
Sie nahmen, Herr Dukter, 's is alles eim Reinen.

HELENE, *aufspringend.* Hör auf! oder ... hör auf, Mutter!
oder...

FRAU KRAUSE. Do hiert doch aber werklich ... na, do sprecha Se, Herr Dukter, iis das wull Bildung, hä? Weeß Gott, ich hal se wie mei eegnes Kind, aber die treibt's reen zu tull.

HOFFMANN, *beschwichtigend.* Ach, Mama! tu mir doch den Gefallen...

FRAU KRAUSE. Nee! groade — iich sah doas nich ein — a su ane Goans, wie die iis ... do hiert olle Gerechtigkeit uff ... su ane Titte!

HOFFMANN. Mama, ich muß dich aber wirklich doch jetzt bitten, dich...

FRAU KRAUSE, *immer wütender.* Stats doaß doas Froovulk ei der Wertschoft woas oagreft ... bewoare ne! Doa zeucht se an Flunsch biis hinger beede Leffel. — Oaber da Schillerich, oaber a Gethemoan, a sune tumm'n Scheißkarle, die de nischt kinn'n als lieja: vu dane läßt sie sich a Kupp verdrehn. Urnar zum Kränke krieja iis doas. *Schweigt bebend vor Wut.*

HOFFMANN, *begütigend.* Nun — sie wird ja nun wieder ... es war ja vielleicht — nicht ganz recht ... es ... *Gibt Helenen, die in Erregung abseits getreten ist, einen Wink, auf den hin sich das Mädchen, die Tränen gewaltsam zurückhaltend, wieder auf seinen Platz begibt.*

HOFFMANN, *das nunmehr eingetretene peinliche Schweigen unterbrechend, zu Loth.* Ja ... von was sprachen wir doch?... Richtig! — vom biedern Alkohol. *Er hebt sein Glas.* Nun, Mama: Frieden! — Komm, stoßen wir an — seien wir friedlich — machen wir dem Alkohol Ehre, indem wir friedlich sind. *Frau Krause, wenn auch etwas widerwillig, stößt doch mit ihm an. Hoffmann, zu Helene gewendet.* Was, Helene?! — dein Glas ist leer? ... Ei der Tausend, Loth! du hast Schule gemacht.

HELENE. Ach ... nein ... ich ...

FRAU SPILLER. Mein gnädiges Fräulein, so etwas läßt tief...

HOFFMANN. Aber du warst doch sonst keine von den Zimperlichen.

HELENE, *patzig.* Ich hab' eben heut keine Neigung zum Trinken, einfach!

HOFFMANN. Bitte, bitte, bitte seeehr um Verzeihung... Ja, von was sprachen wir doch?

LOTH. Wir sprachen davon, daß es Trinkerfamilien gäbe.

HOFFMANN, *aufs neue betreten.* Schon recht, schon recht, aber...
*Man bemerkt zunehmenden Ärger in dem Benehmen der
Frau Krause, während Herr Kahl sichtlich Mühe hat, das
Lachen über etwas, das ihn innerlich furchtbar zu amüsieren
scheint, zurückzuhalten. Helene beobachtet Kahl ihrerseits
mit brennenden Augen, und bereits mehrmals hat sie durch
einen drohenden Blick Kahl davon zurückgehalten, etwas
auszusprechen, was ihm sozusagen auf der Zunge liegt. Loth,
ziemlich gleichmütig, mit Schälen eines Apfels beschäftigt,
merkt von alledem nichts.*

LOTH. Ihr scheint übrigens hier ziemlich damit gesegnet zu
sein.

HOFFMANN, *nahezu fassungslos.* Wieso ... mit ... mit was gesegnet?

LOTH. Mit Trinkern natürlicherweise.

HOFFMANN. Hm! ... meinst du? ... ach ... jaja ... allerdings,
die Bergleute...

LOTH. Nicht nur die Bergleute. Zum Beispiel hier in dem
Wirtshaus, wo ich abstieg, bevor ich zu dir kam, da saß ein
Kerl so: *Er stützt beide Ellbogen auf den Tisch, nimmt den
Kopf in die Hände und stiert auf die Tischplatte.*

HOFFMANN. Wirklich? *Seine Verlegenheit hat den höchsten
Grad erreicht; Frau Krause hustet, Helene starrt noch immer
auf Kahl, der jetzt am ganzen Körper vor innerlichem Lachen bebt, sich aber doch noch so weit bändigt, nicht laut
herauszuplatzen.*

LOTH. Es wundert mich, daß du dieses — Original, könnte
man beinahe sagen, noch nicht kennst. Das Wirtshaus ist
ja gleich hier nebenan das. Mir wurde gesagt, es sei ein
hiesiger steinreicher Bauer, der seine Tage und Jahre buch-
stäblich in diesem selben Gastzimmer mit Schnapstrinken
zubrächte. Das reine Tier ist er natürlich. Diese furchtbar
öden, versoffenen Augen, mit denen er mich anstierte.
*Kahl, der bis hierher sich zurückgehalten hat, bricht in ein
rohes, lautes, unaufhaltsames Gelächter aus, so daß Loth
und Hoffmann, starr vor Staunen, ihn anblicken.*

KAHL, *unter dem Lachen hervorstammelnd.* Woahrhaftig! das
is ja ... das is ja woahrhaftig der ... der Alte gewesen.

HELENE *ist entsetzt und empört aufgesprungen. Zerknüllt die
Serviette und schleudert sie auf den Tisch. Bricht aus.* Sie

sind... — *macht die Bewegung des Ausspeiens* — pfui! *Sie
geht schnell ab.*

KAHL, *die aus dem Bewußtsein, eine große Dummheit gemacht
zu haben, entstandene Verlegenheit gewaltsam abreißend.*
Ach woas! Unsinn! 's iis ju zu tumm! — Iich gieh menner
Wege. *Er setzt seinen Hut auf und sagt, indem er abgeht,
ohne sich noch einmal umzuwenden.* 'n Obend!

FRAU KRAUSE *ruft ihm nach.* Koan der'sch nich verdenken,
Willem! *Sie legt die Serviette zusammen und ruft dabei.*
Miele! *Miele kommt.* Räum ab! *Für sich, aber doch laut.*
Su ane Gans.

HOFFMANN, *etwas aufgebracht.* Ich muß aber doch ehrlich
sagen, Mama! ...

FRAU KRAUSE. Mahr dich aus. *Steht auf, schnell ab.*

FRAU SPILLER. Die gnädige Frau — m — haben heut manches
häusliche Ärgernis gehabt — m —. Ich empfehle mich ganz
ergebenst. *Sie steht auf und betet still, unter Augenaufschlag,
dann ab.*

*Miele und Eduard decken den Tisch ab. Hoffmann ist auf-
gestanden und kommt mit einem Zahnstocher im Mund nach
dem Vordergrund; Loth folgt ihm.*

HOFFMANN. Ja, siehst du, so sind die Weiber.

LOTH. Ich begreife gar nichts von alledem.

HOFFMANN. Ist auch nicht der Rede wert. — So etwas kommt,
wie bekannt, in den allerfeinsten Familien vor. Das darf
dich nicht abhalten, ein paar Tage bei uns...

LOTH. Hätte gern deine Frau kennengelernt, warum läßt sie
sich denn nicht blicken?

HOFFMANN, *die Spitze einer frischen Zigarre abschneidend.*
Du begreifst, in ihrem Zustand... die Frauen lassen nun
mal nicht von der Eitelkeit. Komm! wollen uns draußen im
Garten bißchen ergehen. — Eduard, den Kaffee in die
Laube!

EDUARD. Sehr wohl.

*Hoffmann und Loth ab durch den Wintergarten. Eduard ab
durch die Mitteltür, hierauf Miele, ein Brett voll Geschirr
tragend, ebenfalls ab durch die Mitteltür. Einige Augenblicke bleibt das Zimmer leer, dann erscheint*

HELENE, *erregt, mit verweinten Augen, das Taschentuch vor
den Mund haltend. Von der Mitteltür, durch die sie einge-*

*treten ist, macht sie hastig ein paar Schritte nach links und
lauscht an der Tür von Hoffmanns Zimmer.* Oh! nicht
fort! — *Da sie hier nichts vernimmt, fliegt sie zur Tür des
Wintergartens hinüber, wo sie ebenfalls mit gespanntem
Ausdruck einige Sekunden lauscht. Bittend und mit gefalteten
Händen inbrünstig.* Oh! nicht fort, geh nicht fort!

ZWEITER AKT

Morgens gegen vier Uhr

*Im Wirtshaus sind die Fenster erleuchtet, ein grau-fahler
Morgenschein durch den Torweg, der sich ganz allmählich
im Laufe des Vorgangs zu einer dunklen Röte entwickelt, die
sich dann, ebenso allmählich, in helles Tageslicht auflöst.
Unter dem Torweg, auf der Erde sitzt Beibst, (etwa sechzig-
jährig) und dengelt seine Sense. Wie der Vorhang aufgeht,
sieht man kaum mehr als seine Silhouette, die gegen den grauen
Morgenhimmel absticht, vernimmt aber das eintönige, un-
unterbrochene, regelmäßige Aufschlagen des Dengelhammers
auf den Dengelamboß. Dieses Geräusch bleibt während einiger
Minuten allein hörbar, hierauf feierliche Morgenstille, unterbrochen durch das Geschrei aus dem Wirtshaus abziehender
Gäste. Die Wirtshaustür fliegt krachend ins Schloß. Die
Lichter in den Fenstern verlöschen. Hundebellen fern, Hähne
krähen laut durcheinander. Auf dem Gange vom Wirtshaus
her wird eine dunkle Gestalt bemerklich; sie bewegt sich in
Zickzacklinien dem Hofe zu; es ist der Bauer Krause, der wie
immer als letzter Gast das Wirtshaus verlassen hat.*

BAUER KRAUSE *ist gegen den Gartenzaun getaumelt, klammert
sich mit den Händen daran fest und brüllt mit einer etwas
näselnden, betrunkenen Stimme nach dem Wirtshaus zurück.* 's Gaartla iis meine! ... d'r Kratsch'm iis meine ... du
Gostwertlops! ... Dohie hä! *Er macht sich, nachdem er noch
einiges Unverständliche gemurmelt und geknurrt hat, vom
Zaune los und stürzt in den Hof, wo er glücklich den Sterzen
eines Pflugs zu fassen bekommt.* 's Gittla iis meine. *Er
quasselt halb singend.* Trink ... ei ... Briderla, trink ... ei ...
'iderla, Branntw...wwein... 'acht Kurasche. Dohie hä —

laut brüllend — bien iich nee a hibscher Moan? ... Hoa iich nee
a hibsch Weible dahie hä? ... Hoa iich nee a poar hibsche
Madel?

HELENE *kommt hastig aus dem Hause. Man sieht, sie hat an
Kleidern nur umgenommen, soviel in aller Eile ihr möglich
gewesen war.* Papa! ... lieber Papa!! so komm doch schon.
*Sie faßt ihn unterm Arm, versucht ihn zu stützen und ins
Haus zu ziehen.* Komm doch ... nur ... schnell ins Haus,
komm doch nur schnell! Ach!

BAUER KRAUSE *hat sich aufgerichtet, versucht geradezustehen,
bringt mit einiger Mühe und unter Zuhilfenahme beider
Hände einen ledernen, strotzenden Geldbeutel aus der Tasche
seiner Hose. In dem ein wenig helleren Morgenlicht erkennt
man die schäbige Bekleidung des etwa fünfzigjährigen Mannes, die um nichts besser ist als die des allergeringsten Land-
arbeiters. Er ist im bloßen Kopf, sein graues, spärliches
Haar ungekämmt und struppig. Das schmutzige Hemd steht
bis auf den Nabel herab weit offen; an einem einzigen ge-
stickten Hosenträger hängt die ehemals gelbe, jetzt schmutzig
glänzende, an den Knöcheln zugebundene Lederhose; die
nackten Füße stecken in einem Paar gestickter Schlafschuhe,
deren Stickerei noch sehr neu zu sein scheint. Jacke und
Weste trägt der Bauer nicht, die Hemdärmel sind nicht zu-
geknöpft. Nachdem er den Geldbeutel glücklich herausge-
bracht hat, setzt er ihn mit der rechten mehrmals auf die Hand-
fläche der linken Hand, so daß das Geld darin laut klimpert
und klingt, dabei fixiert er seine Tochter mit laszivem Blick.*
Dohie hä! 's Gald iis meine! hä? Mech'st a poar Toalerla?

HELENE. Ach, großer Gott! *Sie versucht mehrmals vergebens,
ihn mitzuziehen. Bei einem dieser Versuche umarmt er sie
mit der Plumpheit eines Gorillas und macht einige unzüchtige
Griffe. Helene stößt unterdrückte Hilfeschreie aus.* — Gleich
läßt du los! Laß los! bitte, Papa, ach! *Sie weint, schreit dann
plötzlich in äußerster Angst, Abscheu und Wut.* Tier,
Schwein! — *Sie stößt ihn von sich. Der Bauer fällt langhin
auf die Erde. Beibst kommt von seinem Platz unter dem
Torweg herbeigehinkt. Helene und Beibst machen sich daran,
den Bauer aufzuheben.*

BAUER KRAUSE *lallt.* Trink, mein Bri'erla, tr... *Der Bauer
wird aufgehoben und stürzt, Beibst und Helene mit sich*

reißend, in das Haus. Einen Augenblick bleibt die Bühne leer. Im Hause hört man Lärm, Türenschlagen. In einem Fenster wird Licht, hierauf kommt Beibst wieder aus dem Hause. Er reißt an seiner Lederhose ein Schwefelholz an, um die kurze Pfeife, die ihm fast nie aus dem Munde kommt, damit in Brand zu stecken. Als er damit noch beschäftigt ist, schleicht Kahl aus der Haustür. Er ist in Strümpfen, hat sein Jackett über dem linken Arm hängen und trägt mit der linken Hand seine Schlafschuhe. Mit der rechten hält er seinen Hut, mit dem Munde seinen Hemdkragen. Etwa bis in die Mitte des Hofes gelangt, wendet er sich und sieht das Gesicht des Beibst auf sich gerichtet. Einen Augenblick scheint er unschlüssig, dann bringt er Hut und Hemdkragen in der Linken unter, greift in die Hosentasche und geht auf Beibst zu, dem er etwas in die Hand drückt.

KAHL. Do hot 'r an Toaler ... oaber halt't eure Gusche! *Er geht eiligst über den Hof und steigt über den Staketenzaun rechts. Ab. Beibst hat mittels eines neuen Streichholzes seine Pfeife angezündet, hinkt bis unter den Torweg, läßt sich nieder und nimmt seine Dengelarbeit von neuem auf. Wieder eine Zeitlang nichts als das eintönige Aufschlagen des Dengelhammers und das Ächzen des alten Mannes, von kurzen Flüchen unterbrochen, wenn ihm etwas bei seiner Arbeit nicht nach Wunsch geht. Es ist um ein beträchtliches heller geworden.*

LOTH *tritt aus der Haustür, steht still, dehnt sich, tut mehrere tiefe Atemzüge.* H!... h!... Morgenluft! *Er geht langsam nach dem Hintergrunde zu bis unter den Torweg. Zu Beibst.* Guten Morgen! Schon so früh wach?

BEIBST, *mißtrauisch aufschielend, unfreundlich.* Murja! *Kleine Pause, hierauf Beibst, ohne Loths Anwesenheit weiter zu beachten, gleichsam im Zwiegespräch mit seiner Sense, die er mehrmals aufgebracht hin und her reißt.* Krummes Oos! na, werd's glei?! Ekch! Himmeldunnerschlag ja! *Er dengelt weiter.*

LOTH *hat sich zwischen die Sterzen eines Exstirpators niedergelassen.* Es gibt wohl Heuernte heut?

BEIBST, *grob.* De Äsel gihn eis Hä itzunder.

LOTH. Nun, Ihr dengelt doch aber die Sense...?

BEIBST, *zur Sense.* Ekch! tumme Dare.

Kleine Pause, hierauf

LOTH. Wollt Ihr mir nicht sagen, wozu Ihr die Sense scharf macht, wenn doch nicht Heuernte ist?

BEIBST. Na — braucht ma ernt keene Sahnse zum Futtermacha?

LOTH. Ach so! Futter soll also geschnitten werden.

BEIBST. Woas d'n suste?

LOTH. Wird das alle Morgen geschnitten?

BEIBST. Na! — sool's Viech derhingern?

LOTH. Ihr müßt schon 'n bißchen Nachsicht mit mir haben! Ich bin eben ein Städter; da kann man nicht alles so genau wissen von der Landwirtschaft.

BEIBST. Die Staadter glee—ekch! — die Staadter, die wissa doo glee oals besser wie de Mensche vum Lande, hä?

LOTH. Das trifft bei mir nicht zu. — Könnt Ihr mir vielleicht nicht erklären, was das für ein Instrument ist? Ich hab's wohl schon mal wo gesehen, aber der Name...

BEIBST. Doasjenigte, uf dan Se sitza?! Woas ma su soat Extrabater nennt man doas.

LOTH. Richtig, ein Exstirpator; wird der hier auch gebraucht?

BEIBST. Leeder Gootts, nee. — A läßt a verludern ... a ganza Acker, reen verludern läßt a'n, d'r Pauer. A Oarmes mecht a Flecka hoa'nn — ei insa Bärta wächst kee Getreide — oaber nee, lieberscht läßt a'n verludern! — Nischt tit wachsa, ok blußig Seide und Quecka.

LOTH. Ja, die kriegt man schon damit heraus. Ich weiß, bei den Ikariern hatte man auch solche Exstirpatoren, um das urbar gemachte Land vollends zu reinigen.

BEIBST. Wu sein denn die I..., wie Se glei soa'n, I...

LOTH. Die Ikarier? In Amerika.

BEIBST. Doo gibbt's au schunn a sune Dinger?

LOTH. Ja freilich.

BEIBST. Woas iis denn doas fer a Vulk; die I... I...

LOTH. Die Ikarier? — es ist gar kein besonderes Volk; es sind Leute aus allen Nationen, die sich zusammengetan haben; sie besitzen in Amerika ein hübsches Stück Land, das sie gemeinsam bewirtschaften; alle Arbeit und allen Verdienst teilen sie gleichmäßig. Keiner ist arm, es gibt keine Armen unter ihnen.

BEIBST, *dessen Gesichtsausdruck ein wenig freundlicher gewor-*

den war, nimmt bei den letzten Worten Loths wieder das alte mißtrauisch feindselige Gepräge an; ohne Loth weiter zu beachten, hat er sich neuerdings wieder ganz seiner Arbeit zugewendet, und zwar mit den Eingangsworten. Oost vu enner Sahnse!

LOTH, *immer noch sitzend, betrachtet den Alten zuerst mit einem ruhigen Lächeln und schaut dann hinaus in den erwachenden Morgen. Durch den Torweg erblickt man weitgedehnte Kleefelder und Wiesenflächen; zwischendurch schlängelt sich ein Bach, dessen Lauf durch Erlen und Weiden verraten wird. Am Horizonte ein einzelner Bergkegel. Allerorten haben die Lerchen eingesetzt, und ihr ununterbrochenes Getriller schallt bald näher, bald ferner her bis in den Gutshof herein. Jetzt erhebt sich Loth mit den Worten:* Man muß spazierengehn, der Morgen ist zu prächtig. *Er geht durch den Torweg hinaus. — Man hört das Klappern von Holzpantinen. Jemand kommt sehr schnell über die Bodentreppe des Stallgebäudes herunter: es ist Guste.*

GUSTE, *eine ziemlich dicke Magd: bloßes Mieder, nackte Arme und Waden, die bloßen Füße in Holzpantinen. Sie trägt eine brennende Laterne.* Guda Murja, Voater Beibst.

BEIBST *brummt.*

GUSTE *blickt, die Augen mit der Hand beschattend, durch das Tor Loth nach.* Woas iis denn doas fer enner?

BEIBST, *verärgert.* Dar koan Battelleute zum Noarr'n hoa'nn ... dar leugt egelganz wie a Forr ... vu dan luuß der de Hucke vuul liega. *Beibst steht auf.* Macht enk de Roawer zerecht, Madel.

GUSTE, *die dabei war, ihre Waden am Brunnen abzuwaschen, ist damit fertig und sagt, bevor sie im Innern des Kuhstalls verschwindet.* Glei, glei, Voater Beibst.

LOTH *kommt zurück, gibt Beibst Geld.* Da ist 'ne Kleinigkeit. Geld kann man immer brauchen.

BEIBST, *auftauend, wie umgewandelt, mit aufrichtiger Gemütlichkeit.* Ju, ju! do ha'n Se au recht ... na da dank ich au vielmools. — Se sein wull d'r Besuch zum Schwiegersuhne? *Auf einmal sehr gesprächig.* Wissa Se: wenn Se, und Se wulln da naus gihn auf a Barch zu, wissa Se, do haaln Se siich links, wissa Se, zängst nunder links, rechts gibt's Risse. Mei Suhn meente, 's käm do dervoone, meent a, weil se

zu schlecht verzimmern täten, meent a, de Barchmoanne,
's soatzt zu wing Luhn, meent a, und do giht's ok a su:
woas hust de, woas koanst de, ei a Gruba, verstiehn Se. —
Sahn Se! — doo! — immer links, rechts gibt's Lecher. Vu-
rigtes Johr erscht iis a Putterweib, wie se ging und stoand
iis se ei's Ardreich versunka, iich wiß nee amool wieviel
Kloaftern tief. Kee Mensch wußte wuhie — wie gesoat,
links, immer links, doo gihn Se sicher.

Ein Schuß fällt, Beibst, wie elektrisiert, hinkt einige Schritte
ins Freie.

LOTH. Wer schießt denn da schon so früh?

BEIBST. Na, war denn suste? — d'r Junge, dar meschante
Junge.

LOTH. Welcher Junge denn?

BEIBST. Na, Kahl Willem — d'r Nupperschsuhn... Na woart
ok blußig due! Ich hoa's gesahn, a schißt meiner Gitte de
Lärcha.

LOTH. Ihr hinkt ja.

BEIBST. Doaß 's Goott erbarm, ja. *Droht mit der Faust nach*
dem Felde. Na woart du! woart du!...

LOTH. Was habt Ihr denn mit dem Bein gemacht?

BEIBST. Iich?

LOTH. Ja.

BEIBST. 's iis a su nei kumma.

LOTH. Habt Ihr Schmerzen?

BEIBST, *nach dem Bein greifend.* 's zerrt a su, 's zerrt infamt.

LOTH. Habt Ihr keinen Arzt?

BEIBST. Wissa Se — de Dukter, doas sein Oaffa, enner wie d'r
andere! — Blußig inse Dukter, doas iis a ticht'er Moan.

LOTH. Hat er Ihnen was genützt?

BEIBST. Na — verlecht a klee wing wull au oam Ende. A hoat
mersch Been geknet't ... sahn Se, a su geknutscht un ge-
hackt un ... oaber nee!! derwegen nich! — A iis ... na kurz
un gutt, a hott mit 'n aarma Mensche a Mitleed. — A keeft 'n
de Med'zin, und a verlangt nischt. A kimmt zu jeder Zeet...

LOTH. Sie müssen sich das doch aber irgendwo zugezogen
haben?! Haben Sie immer so gehinkt?

BEIBST. Nich die Oahnung!

LOTH. Dann verstehe ich nicht recht, es muß doch eine Ur-
sache...

BEIBST. Weeß iich's? *Er droht wieder mit der Faust.* Woart ok due! woart ok mit dem Geknackse.

KAHL *erscheint innerhalb seines Gartens. Er trägt in der Rechten eine Flinte am Lauf, seine linke Hand ist geschlossen. Ruft herüber.* Guten Morjen ooch, Herr Dukter!

Loth geht quer durch den Hof auf ihn zu. Inzwischen hat Guste sowie eine andere Magd mit Namen Liese je eine Radwer zurechtgemacht, worauf Harke und Dunggabel liegen. Damit fahren sie durch den Torweg hinaus aufs Feld, an Beibst vorüber, der nach einigen grimmigen Blicken und verstohlenen Zornesgesten zu Kahl hinüber seine Sense schultert und ihnen nachhumpelt. Beibst und die Mägde ab.

LOTH, *zu Kahl.* Guten Morgen!

KAHL. Wull'n S' amol was Hibsches sahn? *Er streckt den Arm mit der geschlossenen Hand über den Zaun.*

LOTH, *näher tretend.* Was haben Sie denn da?

KAHL. Roate Se! *Er öffnet gleich darauf seine Hand.*

LOTH. Waas?! — es ist also wirklich wahr: Sie schießen Lerchen! Nun, für diesen Unfug, Sie nichtsnutziger Bursche, verdienten Sie geohrfeigt zu werden, verstehen Sie mich?! *Er kehrt ihm den Rücken zu und geht quer durch den Hof zurück, Beibst und den Mägden nach. Ab.*

KAHL *starrt Loth einige Augenblicke dumm verblüfft nach, dann ballt er die Faust verstohlen, sagt.* Dukterluder! *wendet sich und verschwindet rechts. — Während einiger Augenblicke bleibt der Hof leer.*

Helene, aus der Haustür tretend, helles Sommerkleid, großer Gartenhut. Sie blickt sich rings um, tut dann einige Schritte auf den Torweg zu, steht still und späht hinaus. Hierauf schlendert sie rechts durch den Hof und biegt in den Weg ein, der nach dem Wirtshaus führt. Große Pakete von allerhand Tee hängen zum Trocknen über dem Zaune: daran riecht sie im Vorübergehen. Sie biegt auch Zweige von den Obstbäumen und betrachtet die sehr niedrig hängenden rotwangigen Äpfel. Als sie bemerkt, daß Loth vom Wirtshaus her ihr entgegenkommt, bemächtigt sich ihrer eine noch stärkere Unruhe, so daß sie sich schließlich umwendet und vor Loth her in den Hof zurückgeht. Hier bemerkt sie, daß der Taubenschlag noch geschlossen ist und begibt sich dorthin durch das kleine

*Zaunpförtchen des Obstgartens. Noch damit beschäftigt, die
Leine, die, vom Winde getrieben, irgendwo festgehakt ist,
herunterzuziehen, wird sie von Loth, der inzwischen heran-
gekommen ist, angeredet.*

LOTH. Guten Morgen, Fräulein!

HELENE. Guten Morgen! — Der Wind hat die Schnur hinauf-
gejagt.

LOTH. Erlauben Sie! *Geht ebenfalls durch das Pförtchen,
bringt die Schnur herunter und zieht den Schlag auf. Die
Tauben fliegen aus.*

HELENE. Ich danke sehr.

LOTH *ist durch das Pförtchen wieder herausgetreten, bleibt
aber außerhalb des Zaunes und an diesen gelehnt stehen.
Helene innerhalb desselben. Nach einer kleinen Pause.* Pflegen Sie immer so früh auf zu sein, Fräulein?

HELENE. Das eben — wollte ich Sie auch fragen.

LOTH. Ich —? Nein! Die erste Nacht in einem fremden Hause
passiert es mir jedoch gewöhnlich.

HELENE. Wie ... kommt das?

LOTH. Ich habe darüber noch nicht nachgedacht, es hat keinen Zweck.

HELENE. Ach, wieso denn nicht?

LOTH. Wenigstens keinen ersichtlichen praktischen Zweck.

HELENE. Also wenn Sie irgend etwas tun oder denken, muß
es einem praktischen Zweck dienen?

LOTH. Ganz recht! Übrigens...

HELENE. Das hätte ich von Ihnen nicht gedacht.

LOTH. Was, Fräulein?

HELENE. Genau das meinte die Stiefmutter, als sie mir vor-
gestern den Werther aus der Hand riß.

LOTH. Das ist ein dummes Buch.

HELENE. Sagen Sie das nicht!

LOTH. Das sage ich nochmal, Fräulein. Es ist ein Buch für
Schwächlinge.

HELENE. Das — kann wohl möglich sein.

LOTH. Wie kommen Sie gerade auf dieses Buch? Ist es Ihnen
denn verständlich?

HELENE. Ich hoffe, ich ... zum Teil ganz gewiß. Es beruhigt so,
darin zu lesen. *Nach einer Pause.* Wenn's ein dummes Buch
ist, wie Sie sagen, könnten Sie mir etwas Besseres empfehlen?

LOTH. Le ... lesen Sie ... na! ... kennen Sie den Kampf um Rom von Dahn?

HELENE. Nein! Das Buch werde ich mir aber nun kaufen. Dient es einem praktischen Zweck?

LOTH. Einem vernünftigen Zweck überhaupt. Es malt die Menschen nicht, wie sie sind, sondern wie sie einmal werden sollen. Es wirkt vorbildlich.

HELENE, *mit Überzeugung*. Das ist schön. *Kleine Pause, dann*. Vielleicht geben Sie mir Auskunft; man redet so viel von Zola und Ibsen in den Zeitungen: sind das große Dichter?

LOTH. Es sind gar keine Dichter, sondern notwendige Übel, Fräulein. Ich bin ehrlich durstig und verlange von der Dichtkunst einen klaren, erfrischenden Trunk. — Ich bin nicht krank. Was Zola und Ibsen bieten, ist Medizin.

HELENE, *gleichsam unwillkürlich*. Ach, dann wäre es doch vielleicht für mich etwas.

LOTH, *bisher teilweise, jetzt ausschließlich in den Anblick des tauigen Obstgartens vertieft*. Es ist prächtig hier. Sehen Sie, wie die Sonne über der Bergkuppe herauskommt — Viel Äpfel gibt es in Ihrem Garten: eine schöne Ernte.

HELENE. Drei Viertel davon wird auch dies Jahr wieder gestohlen werden. Die Armut hier herum ist zu groß.

LOTH. Sie glauben gar nicht, wie sehr ich das Land liebe! Leider wächst mein Weizen zum größten Teil in der Stadt. Aber nun will ich's mal durchgenießen, das Landleben. Unsereiner hat so 'n bißchen Sonne und Frische mehr nötig als sonst jemand.

HELENE, *seufzend*. Mehr nötig als... inwiefern?

LOTH. Weil man in einem harten Kampfe steht, dessen Ende man nicht erleben kann.

HELENE. Stehen wir andern nicht in einem solchen Kampfe?

LOTH. Nein.

HELENE. Aber — in einem Kampfe — stehen wir doch auch?!

LOTH. Natürlicherweise! Aber der kann enden.

HELENE. Kann — da haben Sie recht! — und wieso kann der nicht endigen — der, den Sie kämpfen, Herr Loth?

LOTH. Ihr Kampf, das kann nur ein Kampf sein um persönliches Wohlergehen. Der einzelne kann dies, soweit menschenmöglich, erreichen. Mein Kampf ist ein Kampf um das Glück aller; sollte ich glücklich sein, so müßten es erst alle andern Menschen um mich herum sein; ich müßte um mich herum weder Krankheit noch Armut, weder Knechtschaft noch Gemeinheit sehen. Ich könnte mich sozusagen nur als letzter an die Tafel setzen.

HELENE, *mit Überzeugung.* Dann sind Sie ja ein sehr, sehr guter Mensch!

LOTH, *ein wenig betreten.* Verdienst ist weiter nicht dabei, Fräulein, ich bin so veranlagt. Ich muß übrigens sagen, daß mir der Kampf im Interesse des Fortschritts doch große Befriedigung gewährt. Eine Art Glück, die ich weit höher anschlage als die, mit der sich der gemeine Egoist zufriedengibt...

HELENE. Es gibt wohl nur sehr wenige Menschen, die so veranlagt sind. — Es muß ein Glück sein, mit solcher Veranlagung geboren zu sein.

LOTH. Geboren wird man wohl auch nicht damit. Man kommt dazu durch die Verkehrtheit unserer Verhältnisse, scheint mir; — nur muß man für das Verkehrte einen Sinn haben: das ist es! Hat man den, und leidet man so bewußt unter den verkehrten Verhältnissen, dann wird man mit Notwendigkeit zu dem, was ich bin.

HELENE. Wenn ich Sie nur besser... welche Verhältnisse nennen Sie zum Beispiel verkehrt?

LOTH. Es ist zum Beispiel verkehrt, wenn der im Schweiße seines Angesichts Arbeitende hungert und der Faule im Überflusse leben darf. Es ist verkehrt, den Mord im Frieden zu bestrafen und den Mord im Kriege zu belohnen. Es ist verkehrt, den Henker zu verachten und selbst, wie es die Soldaten tun, mit einem Menschenabschlachtungsinstrument, wie es der Degen oder der Säbel ist, an der Seite stolz herumzulaufen. Den Henker, der das mit dem Beile täte, würde man zweifelsohne steinigen. Verkehrt ist es dann, die Religion Christi, diese Religion der Duldung, Vergebung und Liebe, als Staatsreligion zu haben und dabei ganze Völker zu vollendeten Menschenschlächtern heranzubilden. Dies sind einige unter Millionen, müssen Sie bedenken. Es kostet Mühe, sich durch alle diese Verkehrtheiten hindurchzuringen; man muß früh anfangen.

HELENE. Wie sind Sie denn nur so auf alles dies gekommen? Es ist so einfach, und doch kommt man nicht darauf.

LOTH. Ich mag wohl durch meinen Entwicklungsgang darauf gekommen sein, durch Gespräche mit Freunden, durch
Lektüre, durch eigenes Denken. Hinter die erste Verkehrtheit kam ich als kleiner Junge. Ich log mal sehr stark und
bekam dafür die schrecklichsten Prügel von meinem Vater;
kurz darauf fuhr ich mit ihm auf der Eisenbahn, und da
merkte ich, daß mein Vater auch log und es für ganz selbstverständlich hielt, zu lügen; ich war damals fünf Jahre, und
mein Vater sagte dem Schaffner, ich sei noch nicht vier, der
freien Fahrt halber, die Kinder unter vier Jahren genießen.
Dann sagte der Lehrer auch mal: sei fleißig, halt dich brav,
dann wird es dir auch unfehlbar gut gehen im Leben. Der
Mann lehrte uns eine Verkehrtheit, dahinter kam ich sehr
bald. Mein Vater war brav, ehrlich, durch und durch bieder,
und ein Schuft, der noch jetzt als reicher Mann lebt, betrog
ihn um seine paar tausend Taler. Bei ebendiesem Schuft,
der eine große Seifenfabrik besaß, mußte mein Vater sogar,
durch die Not getrieben, in Stellung treten.

HELENE. Unsereins wagt es gar nicht — wagt es gar nicht, so
etwas für verkehrt anzusehen, höchstens ganz im stillen
empfindet man es. Man empfindet es oft sogar, und dann
— wird einem ganz verzweifelt zumut.

LOTH. Ich erinnere mich einer Verkehrtheit, die mir ganz
besonders klar als solche vor Augen trat. Bis dahin glaubte
ich: der Mord werde unter allen Umständen als ein Verbrechen bestraft; danach wurde mir jedoch klar, daß nur
die milderen Formen des Mordes ungesetzlich sind.

HELENE. Wie wäre das wohl...

LOTH. Mein Vater war Siedemeister, wir wohnten dicht an
der Fabrik, unsere Fenster gingen auf den Fabrikhof. Da
sah ich auch noch manches außerdem: Es war ein Arbeiter,
der fünf Jahre in der Fabrik gearbeitet hatte. Er fing an,
stark zu husten und abzumagern ... ich weiß, wie uns mein
Vater bei Tisch erzählte: Burmeister — so hieß der Arbeiter
— bekommt die Lungenschwindsucht, wenn er noch länger
bei der Seifenfabrikation bleibt. Der Doktor hat es ihm gesagt. — Der Mann hatte acht Kinder, und ausgemergelt
wie er war, konnte er nirgends mehr Arbeit finden. Er
mußte also in der Seifenfabrik bleiben, und der Prinzipal
tat sich viel darauf zugute, daß er ihn beibehielt. Er kam

sich unbedingt äußerst human vor. — Eines Nachmittags, im August, es war eine furchtbare Hitze, da quälte er sich mit einer Karre Kalk über den Fabrikhof. — Ich sah gerade aus dem Fenster, da merkte ich, wie er stillsteht — wieder stillsteht, und schließlich schlägt er lang auf die Steine. — Ich lief hinzu — mein Vater kam, andere Arbeiter kamen, aber er röchelte nur noch, und sein ganzer Mund war voll Blut. Ich half ihn ins Haus tragen. Ein Haufe kalkiger, nach allerhand Chemikalien stinkender Lumpen war er; bevor wir ihn im Hause hatten, war er schon gestorben.

HELENE. Ach, schrecklich ist das!

LOTH. Kaum acht Tage später zogen wir seine Frau aus dem Fluß, in den die verbrauchte Lauge unserer Fabrik abfloß. — Ja, Fräulein! wenn man dies alles kennt, wie ich es jetzt kenne — glauben Sie mir! —, dann läßt es einem keine Ruhe mehr. Ein einfaches Stückchen Seife, bei dem sich in der Welt sonst niemand etwas denkt, ja, ein paar rein gewaschene, gepflegte Hände schon können einen in die bitterste Laune versetzen.

HELENE. Ich hab auch mal so was gesehen. Hu! schrecklich war das, schrecklich!

LOTH. Was?

HELENE. Der Sohn von einem Arbeitsmann wurde halbtot hier hereingetragen. Es ist nun ... drei Jahre vielleicht ist es her.

LOTH. War er verunglückt?

HELENE. Ja, drüben im Bärenstollen.

LOTH. Ein Bergmann also?

HELENE. Ja, die meisten jungen Leute hierherum gehen auf die Grube. — Ein zweiter Sohn desselben Vaters war auch Schlepper und ist auch verunglückt.

LOTH. Beide tot?

HELENE. Beide tot ... Einmal riß etwas an der Fahrkunst, das andere Mal waren es schlagende Wetter. — Der alte Beibst hat aber noch einen dritten Sohn, der fährt auch seit Ostern ein.

LOTH. Was Sie sagen! — hat er nichts dawider?

HELENE. Gar nichts, nein! Er ist nur jetzt noch weit mürrischer als früher. Haben Sie ihn nicht schon gesehen?

LOTH. Wieso ich?

HELENE. Er saß ja heut früh nebenan, unter der Durchfahrt.

LOTH. Ach — wie? ... Er arbeitet hier im Hofe?

HELENE: Schon seit Jahren.

LOTH. Er hinkt?

HELENE. Ziemlich stark sogar.

LOTH. Soosoo — was ist ihm denn da passiert, mit dem Bein?

HELENE. Das ist 'ne heikle Geschichte. Sie kennen doch den
Herrn Kahl? ... da muß ich Ihnen aber ganz nahe kommen.
Sein Vater, müssen Sie wissen, war genauso ein Jagdnarr
wie er. Er schoß hinter den Handwerksburschen her, die
auf den Hof kamen, wenn auch nur in die Luft, um ihnen
Schrecken einzujagen. Er war auch sehr jähzornig, wissen
Sie; wenn er getrunken hatte, erst recht. Nu hat wohl der
Beibst mal gemuckscht — er muckscht gern, wissen Sie —,
und da hat der Bauer die Flinte zu packen gekriegt und ihm
eine Ladung gegeben. Beibst, wissen Sie, war nämlich
früher beim Nachbar Kahl für Kutscher.

LOTH. Frevel über Frevel, wohin man hört.

HELENE, *immer unsicherer und erregter.* Ich hab' auch schon
manchmal so bei mir gedacht... sie haben mir alle mitunter
schon so furchtbar leid getan —: der alte Beibst und...
Wenn die Bauern so roh und dumm sind wie der — wie der
Streckmann, der — läßt seine Knechte hungern und füttert
die Hunde mit Konditorzeug. Hier bin ich wie dumm, seit
ich aus der Pension zurück bin... Ich hab' auch mein Päck-
chen! — aber ich rede ja wohl Unsinn — es interessiert Sie
gar nicht — Sie lachen mich im stillen bloß aus.

LOTH. Aber Fräulein, wie können Sie nur... weshalb sollte
ich Sie denn...

HELENE. Nun, etwas nicht? Sie denken doch: die ist auch
nicht besser wie die andern hier.

LOTH. Ich denke von niemand schlecht, Fräulein!

HELENE. Das machen Sie mir nicht weis ... nein, nein!

LOTH. Aber Fräulein! wann hätte ich Ihnen Veranlassung...

HELENE, *nahe am Weinen.* Ach, reden Sie doch nicht! Sie verachten uns, verlassen Sie sich drauf — Sie müssen uns ja
doch verachten — *weinerlich —*, den Schwager mit, mich
mit. Mich vor allen Dingen, und dazu, da... zu haben Sie
wahr... wahrhaftig auch Grund.

*Sie wendet Loth schnell den Rücken und geht, ihrer Bewegung
nicht mehr Herr, durch den Obstgarten nach dem Hintergrunde
zu ab. Loth tritt durch das Pförtchen und folgt ihr langsam.*

FRAU KRAUSE, *in überladener Morgentoilette, puterrot im Gesicht, aus der Haustür, schreit.* Doas Loaster vu Froovulk! Marie! Ma—rie!! unter men'n Dache? Weg muß doas Froovulk! *Sie rennt über den Hof und verschwindet in der Stalltür. Frau Spiller, mit Häkelarbeit, erscheint in der Haustür. Im Stalle hört man Schimpfen und Heulen. — Frau Krause, die heulende Magd vor sich hertreibend, aus dem Stall.* Du Hurenfroovulk du! — *die Magd heult stärker* — uuf der Stelle naus! Sich deine Siebasacha z'samma und dann naus! *Helene, mit roten Augen, kommt durch den Torweg, bemerkt die Szene und steht abwartend still.*

DIE MAGD *entdeckt Frau Spiller, wirft Schemel und Milchgelte weg und geht wütend auf sie zu.* Doas biin iich Ihn' schuldig! Doas war iich Ihn eitränka!! *Sie rennt schluchzend davon, die Bodentreppe hinauf. Ab.*

HELENE, *zu Frau Krause tretend.* Was hat sie denn gemacht?

FRAU KRAUSE, *grob.* Gieht's diich oan, Goans?

HELENE, *heftig, fast weinend.* Ja, mich geht's an.

FRAU SPILLER, *schnell hinzutretend.* Mein gnädiges Fräulein, so etwas ist nicht für das Ohr eines jungen Mädchens wie...

FRAU KRAUSE. Worum ok ne goar, Spillern! die iis au ne vu Marzepane. Mit'n Grußknecht zusoammagelahn hot se ei en Bette. Do wißt de's.

HELENE, *in befehlendem Tone.* Die Magd wird aber doch bleiben.

FRAU KRAUSE. Weibsstück!

HELENE. Gut! dann will ich dem Vater erzählen, daß du mit Kahl Wilhelm die Nächte ebenso verbringst.

FRAU KRAUSE *schlägt ihr eine Maulschelle.* Do hust an Denkzettel!

HELENE, *todbleich, aber noch fester.* Die Magd bleibt aber doch, sonst... sonst bring' ich's herum! Mit Kahl Wilhelm, du! Dein Vetter ... mein Bräut'jam... Ich bring's herum.

FRAU KRAUSE, *mit wankender Fassung.* Wer koan doas soa'n?

HELENE. Ich! Denn ich hab' ihn heut morgen aus deinem Schlafzimmer... *Schnell ab ins Haus.*

Frau Krause, taumelnd, nahe einer Ohnmacht. Frau Spiller mit Riechfläschchen zu ihr.

FRAU SPILLER. Gnädige Frau, gnädige Frau!

FRAU KRAUSE. Sp...illern, die Moa'd sss... sool dooblei'n.

DRITTER AKT

*Zeit: wenige Minuten nach dem Vorfall zwischen Helene und
ihrer Stiefmutter im Hofe. Der Schauplatz ist der des ersten
Vorganges. Doktor Schimmelpfennig sitzt, ein Rezept schrei-
bend, Schlapphut, Zwirnhandschuhe und Stock vor sich auf
der Tischplatte, an dem Tisch links im Vordergrunde. Er ist
von Gestalt klein und gedrungen, hat schwarzes Wollhaar und
einen ziemlich starken Schnurrbart. Schwarzer Rock im
Schnitt der Jägerschen Normalröcke. Die Kleidung im ganzen
solid, aber nicht elegant. Hat die Gewohnheit, fast ununter-
brochen seinen Schnurrbart zu streichen oder zu drehen, um
so stärker, je erregter er innerlich wird. Sein Gesichtsausdruck, wenn er mit Hoffmann redet, ist gezwungen ruhig, ein
Zug von Sarkasmus liegt um seine Mundwinkel. Seine Bewegungen sind lebhaft, fest und eckig, durchaus natürlich.
Hoffmann, in seidenem Schlafrock und Pantoffeln, geht umher. Der Tisch rechts im Hintergrunde ist zum Frühstück
hergerichtet. Feines Porzellan. Gebäck. Rumkaraffe etc.*

HOFFMANN. Herr Doktor, sind Sie mit dem Aussehen meiner
Frau zufrieden?

DOKTOR SCHIMMELPFENNIG: Sie sieht ja ganz gut aus, warum
nicht.

HOFFMANN. Denken Sie, daß alles gut vorübergehen wird?

DOKTOR SCHIMMELPFENNIG. Ich hoffe.

HOFFMANN, *nach einer Pause, zögernd.* Herr Doktor, ich habe
mir vorgenommen — schon seit Wochen —, Sie, sobald ich
hierherkäme, in einer ganz bestimmten Sache um Ihren
Rat zu bitten.

DOKTOR SCHIMMELPFENNIG, *der bis jetzt unter dem Schreiben
geantwortet, legt die Feder beiseite, steht auf und übergibt
Hoffmann das geschriebene Rezept.* So!... das lassen Sie
wohl bald machen; — *indem er Hut, Handschuhe und Stock
nimmt* — über Kopfschmerz klagt Ihre Frau — *in seinen
Hut blickend, geschäftsmäßig —*, ehe ich es vergesse: suchen
Sie doch Ihrer Frau begreiflich zu machen, daß sie für das
kommende Lebewesen einigermaßen verantwortlich ist,
ich habe ihr bereits selbst einiges gesagt — über die Folgen
des Schnürens.

HOFFMANN. Ganz gewiß, Herr Doktor... ich will ganz gewiß mein möglichstes tun, ihr...

DOKTOR SCHIMMELPFENNIG, *sich ein wenig linkisch verbeu-
gend.* Empfehle mich. *Geht, bleibt wieder stehen.* Ach so!...
Sie wollten ja meinen Rat hören. *Er blickt Hoffmann
kalt an.*

HOFFMANN. Ja, wenn Sie noch einen Augenblick Zeit hätten... *Nicht ohne Affektiertheit.* Sie kennen das entsetzliche
Ende meines ersten Jungen. Sie haben es ja ganz aus der
Nähe gesehen. Wie weit ich damals war, wissen Sie ja wohl
auch. — Man glaubt es nicht, dennoch: die Zeit mildert! ...
Schließlich habe ich sogar noch Grund zur Dankbarkeit,
mein sehnlichster Wunsch soll, wie es scheint, erfüllt werden. Sie werden begreifen, daß ich alles tun muß... Es hat
mich schlaflose Nächte genug gekostet, und doch weiß ich
noch nicht, noch immer nicht, wie ich es anstellen soll, um
das jetzt noch ungeborene Geschöpf vor dem furchtbaren
Schicksale seines Brüderchens zu bewahren. Und das ist es,
weshalb ich Sie...

DOKTOR SCHIMMELPFENNIG, *trocken und geschäftsmäßig.* Von
seiner Mutter trennen: Grundbedingung einer gedeih-
lichen Entwicklung.

HOFFMANN. Also doch?! — Meinen Sie, völlig trennen? ...
Soll es auch nicht in demselben Hause mit ihr? ...

DOKTOR SCHIMMELPFENNIG. Nein, wenn es Ihnen ernst ist
um die Erhaltung Ihres Kindes, dann nicht. Ihr Vermögen
gestattet Ihnen ja in dieser Beziehung die freieste Bewegung.

HOFFMANN. Gott sei Dank, ja! Ich habe auch schon in der
Nähe von Hirschberg eine Villa mit sehr großem Park an-
gekauft. Nur wollte ich auch meine Frau...

DOKTOR SCHIMMELPFENNIG *dreht seinen Bart und starrt auf
die Erde. Unter Nachdenken.* Kaufen Sie doch Ihrer Frau
irgendwo anders eine Villa...

HOFFMANN *zuckt die Achseln.*

DOKTOR SCHIMMELPFENNIG, *wie vorher.* Können Sie nicht —
Ihre Schwägerin — für die Aufgabe, dieses Kind zu er-
ziehen, interessieren?

HOFFMANN. Wenn Sie wüßten, Herr Doktor, was für Hindernisse... außerdem: ein unerfahrenes, junges Ding... Mutter ist doch Mutter.

DOKTOR SCHIMMELPFENNIG. Sie wissen meine Meinung. Empfehle mich.

HOFFMANN, *mit Überfreundlichkeit um ihn herum komplimentierend.* Empfehle mich ebenfalls! Ich bin Ihnen äußerst dankbar...

Beide ab durch die Mitteltür.

Helene, das Taschentuch vor den Mund gepreßt, schluchzend, außer sich, kommt herein und läßt sich auf das Sofa links vorn hinfallen. Nach einigen Augenblicken tritt Hoffmann, Zeitungsblätter in den Händen haltend, abermals ein.

HOFFMANN. Was ist denn das —? Sag mal, Schwägerin! soll denn das noch lange so fort gehen? — Seit ich hier bin, vergeht nicht ein Tag, an dem ich dich nicht weinen sehe.

HELENE. Ach! — was weißt du!? — wenn du überhaupt Sinn für so was hätt'st, dann würd'st du dich vielmehr wundern, wenn ich mal nicht weinte.

HOFFMANN. Das leuchtet mir nicht ein, Schwägerin!

HELENE. Mir um so mehr!

HOFFMANN. Es muß doch wieder was passiert sein, hör mal!

HELENE *springt auf und stampft mit dem Fuße.* Pfui! Pfui!... und ich mag's nicht mehr leiden... das hört auf! Ich lasse mir das nicht mehr bieten! Ich sehe nicht ein, warum... ich... *In Weinen erstickend.*

HOFFMANN. Willst du mir denn nicht wenigstens sagen, worum sich's handelt, damit...

HELENE, *aufs neue heftig ausbrechend.* Alles ist mir egal! Schlimmer kann's nicht kommen: — einen Trunkenbold von Vater hat man, ein Tier — vor dem die ... die eigene Tochter nicht sicher ist. — Eine ehebrecherische Stiefmutter, die mich an ihren Galan verkuppeln möchte... Dieses ganze Dasein überhaupt — Nein! — ich sehe nicht ein, wer mich zwingen kann, durchaus schlecht zu werden. Ich gehe fort! ich renne fort — und wenn ihr mich nicht loslaßt, dann... Strick, Messer, Revolver!... mir egal! — ich will nicht auch zum Branntwein greifen wie meine Schwester.

HOFFMANN, *erschrocken, packt sie am Arm.* Lene!... Ich sag' dir, still!... davon still!

HELENE. Mir egal! ... mir ganz egal! — man ist ... man muß sich schämen bis in die Seele nein. — Man möchte was wissen, was sein, was sein können — und was ist man nu?

HOFFMANN, *der ihren Arm noch nicht wieder losgelassen hat,*
fängt an, das Mädchen allmählich nach dem Sofa hinzu-
drängen. Im Tone seiner Stimme liegt nun plötzlich eine
weichliche, übertriebene, gleichsam vibrierende Milde. Lenchen —! ich weiß ja recht gut, daß du hier manches auszu-
stehen hast. Sei nur ruhig...! brauchst es mir gar nicht zu
sagen. *Er legt die Rechte liebkosend auf ihre Schulter, bringt*
sein Gesicht nahe dem ihren. Ich kann dich gar nicht weinen
sehen. Wahrhaftig! — 's tut mir weh. Sieh doch nur aber die
Verhältnisse nicht schwärzer, als sie sind —; und dann:
— hast du vergessen, daß wir beide — du und ich — sozu
sagen in der gleichen Lage sind? — Ich bin in diese Bauern-
atmosphäre hineingekommen... passe ich hinein? Genau-
sowenig wie du hoffentlich.

HELENE, *immer noch weinend.* Hätte mein — gutes — M—Mut-
telchen das geahnt, — als sie... als sie bestimmte —, daß ich
in Herrnhut — erzogen... erzogen werden sollte. Hätte sie
— mich lieber... mich lieber zu Hause gelassen, dann hätte
ich... hätte ich wenigstens — nichts anderes kennengelernt,
wäre in dem Sumpf hier auf... aufgewachsen. — Aber
so...

HOFFMANN *hat Helene sanft auf das Sofa gezwungen und*
sitzt nun, eng an sie gedrängt, neben ihr. Immer auffälliger
verrät sich in seinen Tröstungen das sinnliche Element.
Lenchen —! sieh mich an, laß das gut sein, tröste dich mit
mir. — Ich brauch' dir von deiner Schwester nicht zu
sprechen. *Heiß und mit Innigkeit, indem er sie enger um-*
schlingt. Ja, wäre sie, wie du bist! ... So aber... sag selbst:
was kann sie mir sein? — Wo lebt ein Mann, Lenchen, ein
gebildeter Mann — *leiser* —, dessen Frau von einer so un-
glückseligen Leidenschaft befallen ist? — Man darf es gar
nicht laut sagen: eine Frau — und — Branntwein... Nun,
sprich, bin ich glücklicher? ... Denk an mein Fritzchen! —
Nun? ... bin ich am Ende besser dran, wie? ... *Immer lei-*
denschaftlicher. Siehst du: so hat's das Schicksal schließlich
noch gut gemeint. Es hat uns zueinander gebracht. — Wir
gehören für einander! Wir sind zu Freunden voraus-
bestimmt, mit unsern gleichen Leiden. Nicht, Lenchen?
Er umschlingt sie ganz. Sie läßt es geschehen, aber mit einem
Ausdruck, der besagt, daß sie sich zum Dulden zwingt. Sie

*ist still geworden und scheint mit zitternder Spannung etwas
zu erwarten, irgendeine Gewißheit, eine Erfüllung, die unfehlbar herankommt.*

HOFFMANN, *zärtlich.* Du solltest meinem Vorschlag folgen,
solltest dies Haus verlassen, bei uns wohnen. — Das Kind-
chen, das kommt, braucht eine Mutter. — Komm! sei du
ihm das; — *leidenschaftlich, gerührt, sentimental:* sonst hat
es eben keine Mutter. Und dann: — bring ein wenig, nur
ein ganz, ganz klein wenig Licht in mein Leben. Tu's!
Tu's! *Er will seinen Kopf an ihre Brust lehnen. Sie springt
auf, empört. In ihren Mienen verrät sich Verachtung, Über-
raschung, Ekel, Haß.*

HELENE: Schwager! Du bist, du bist... Jetzt kenn' ich dich
durch und durch. Bisher hab' ich's nur so dunkel gefühlt.
Jetzt weiß ich's ganz gewiß.

HOFFMANN, *überrascht, fassungslos.* Was...? Helene ... einzig,
wirklich...

HELENE. Jetzt weiß ich ganz gewiß, daß du nicht um ein
Haar besser bist... was denn! schlechter bist du, der
Schlecht'ste von allen hier!

HOFFMANN *steht auf; mit angenommener Kälte.* Dein Betragen
heut ist sehr eigentümlich, weißt du!

HELENE *tritt nahe zu ihm.* Du gehst doch nur auf das eine
Ziel los. *Halblaut in sein Ohr.* Aber du hast ganz andere
Waffen als Vater und Stiefmutter und der ehrenfeste Herr
Bräutigam, ganz andere. Gegen dich gehalten, sind sie Läm-
mer, alle mit'nander. Jetzt, jetzt auf einmal, jetzt eben ist
mir das sonnenklar geworden.

HOFFMANN, *in erheuchelter Entrüstung.* Lene! Du bist ... du
bist nicht bei Trost, das ist ja heller Wahn... *Er unterbricht
sich, schlägt sich vor den Kopf.* Gott, wie wird mir denn auf
einmal, natürlich!... du hast... es ist freilich noch sehr
früh am Tage, aber ich wette, du hast... Helene, du hast
heut früh schon mit Alfred Loth geredet.

HELENE. Weshalb sollte ich denn nicht mit ihm geredet
haben? Er ist ein Mann, vor dem wir uns alle verstecken
müßten vor Scham, wenn es mit rechten Dingen zuginge.

HOFFMANN. Also wirklich!... Ach sooo!... na jaaa!... allerdings... da darf ich mich weiter nicht wundern —. So, so,
so, hat also die Gelegenheit benutzt, über seinen Wohltäter

'n bißchen herzuziehen. Man sollte immer auf dergleichen gefaßt sein, freilich!

HELENE. Schwager! das ist nun geradezu gemein.

HOFFMANN. Finde ich beinah auch!

HELENE. Kein Sterbenswort, nicht ein Sterbenswort hat er gesagt über dich.

HOFFMANN, *ohne darauf einzugehen.* Wenn die Sachen so liegen, dann ist es geradezu meine Pflicht, ich sage, meine Pflicht als Verwandter, einem so unerfahrenen Mädchen gegenüber, wie du bist...

HELENE. Unerfahrenes Mädchen —? Wie du mir vorkommst!

HOFFMANN, *aufgebracht.* Auf meine Verantwortung ist Loth hier ins Haus gekommen. Nun mußt du wissen: — er ist — gelinde gesprochen — ein höchst gefährlicher Schwärmer, dieser Herr Loth.

HELENE. Daß du das von Herrn Loth sagst, hat für mich so etwas — Verkehrtes — etwas lächerlich Verkehrtes.

HOFFMANN. Ein Schwärmer, der die Gabe hat, nicht nur Weibern, sondern auch vernünftigen Leuten die Köpfe zu verwirren.

HELENE. Siehst du: wieder so eine Verkehrtheit! Mir ist es nach den wenigen Worten, die ich mit Herrn Loth geredet habe, so wohltuend klar im Kopfe . . .

HOFFMANN, *im Tone eines Verweises.* Was ich dir sage, ist durchaus nichts Verkehrtes.

HELENE. Man muß für das Verkehrte einen Sinn haben, und den hast du eben nicht.

HOFFMANN, *wie vorher.* Davon ist jetzt nicht die Rede. Ich erkläre dir nochmals, daß ich dir nichts Verkehrtes sage, sondern etwas, was ich dich bitten muß, als tatsächlich wahr hinzunehmen . . . Ich habe es an mir erfahren: er benebelt einem den Kopf, und dann schwärmt man von Völkerver-brüderung, von Freiheit und Gleichheit, setzt sich über Sitte und Moral hinweg . . . Wir wären damals um dieser Hirngespinste willen — weiß der Himmel — über die Leichen unserer Eltern hinweggeschritten, um zum Ziele zu gelangen. Und er, sage ich dir, würde erforderlichenfalls noch heute dasselbe tun.

HELENE. Wie viele Eltern mögen wohl alljährlich über die Leichen ihrer Kinder schreiten, ohne daß jemand . . .

HOFFMANN, *ihr in die Rede fallend.* Das ist Unsinn! Da hört
alles auf! . . . Ich sage dir, nimm dich vor ihm in acht, in
jeder . . . ich sage ganz ausdrücklich, in jeder Beziehung. —
Von moralischen Skrupeln ist da keine Spur.

HELENE. Nee, wie verkehrt dies nun wieder ist. Glaub mir,
Schwager, fängt man erst mal an, darauf zu achten . . . es
ist so schrecklich interessant . . .

HOFFMANN. Sag doch, was du willst, gewarnt bist du nun.
Ich will dir nur noch ganz im Vertrauen mitteilen: ein
Haar, und ich wäre damals durch ihn und mit ihm greulich
in die Tinte geraten.

HELENE. Wenn dieser Mensch so gefährlich ist, warum freu-
test du dich denn gestern so aufrichtig, als . . .

HOFFMANN. Gott ja, er ist eben ein Jugendbekannter! Weißt
du denn, ob nicht ganz bestimmte Gründe vorlagen . . .

HELENE. Gründe? Wie denn?

HOFFMANN. Nur so. — Käme er allerdings heut, und wüßte
ich, was ich jetzt weiß —

HELENE. Was weißt du denn nur? Ich sagte dir doch bereits,
er hat kein Sterbenswörtchen über dich verlauten lassen.

HOFFMANN. Verlaß dich drauf! Ich hätte mir's zweimal über-
legt und mich wahrscheinlich sehr in acht genommen, ihn
hierzubehalten. Loth ist und bleibt 'n Mensch, dessen Um-
gang kompromittiert. Die Behörden haben ihn im Auge.

HELENE. Ja, hat er denn ein Verbrechen begangen?

HOFFMANN. Sprechen wir lieber darüber nicht. Laß es dir
genug sein, Schwägerin, wenn ich dir die Versicherung
gebe: mit Ansichten, wie er sie hat, in der Welt umher-
zulaufen, ist heutzutage weit schlimmer und vor allem gefährlicher als stehlen.

HELENE. Ich will's mir merken. — Nun aber — Schwager!
hörst du? Frag mich nicht — wie ich nach deinen Reden
über Herrn Loth noch von dir denke. — Hörst du?

HOFFMANN, *zynisch kalt:* Denkst du denn wirklich, daß mir
so ganz besonders viel daran liegt, das zu wissen? *Er drückt
den Klingelknopf.* Übrigens höre ich ihn da eben herein-
kommen. — *Loth tritt ein.* — Nun —? gut geschlafen, alter
Freund?

LOTH. Gut, aber nicht lange. Sag doch mal: ich sah da vorhin
jemand aus dem Haus kommen, einen Herrn.

HOFFMANN. Vermutlich der Doktor, der soeben hier war. Ich erzählte dir ja . . . dieser eigentümliche Mischmasch von Härte und Sentimentalität.

Helene verhandelt mit Eduard, der eben eingetreten ist. Er geht ab und serviert kurz darauf Tee und Kaffee.

LOTH. Dieser Mischmasch, wie du dich ausdrückst, sah näm-lich einem alten Universitätsfreunde von mir furchtbar ähnlich — ich hätte schwören können, daß er es sei —, einem gewissen Schimmelpfennig.

HOFFMANN, *sich am Frühstückstisch niederlassend.* Nu ja, ganz recht: Schimmelpfennig!

LOTH. Ganz recht? Was?

HOFFMANN. Er heißt in der Tat Schimmelpfennig.

LOTH. Wer? Der Doktor hier?

HOFFMANN. Du sagtest es doch eben. Ja, der Doktor.

LOTH. Dann . . . das ist aber auch wirklich wunderlich! Unbedingt ist er's dann.

HOFFMANN. Siehst du wohl, schöne Seelen finden sich zu Wasser und zu Lande. Du nimmst mir's nicht übel, wenn ich anfange; wir wollten uns nämlich gerade zum Früh-stück setzen. Bitte, nimm Platz! Du hast doch wohl nicht schon irgendwo gefrühstückt?

LOTH. Nein!

HOFFMANN. Nun dann, also. *Er rückt, selbst sitzend, Loth einen Stuhl zurecht. Hierauf zu Eduard, der mit Tee und Kaffee kommt.* Ä! wird . . . e . . . meine Frau Schwieger-mama nicht kommen?

EDUARD. Die gnädige Frau und Frau Spiller werden auf ihrem Zimmer frühstücken.

HOFFMANN. Das ist aber doch noch nie . . .

HELENE, *das Service zurechtrückend.* Laß nur! Es hat seinen Grund.

HOFFMANN. Ach so . . . Loth, lang zu . . . ein Ei? Tee?

LOTH. Könnte ich vielleicht lieber ein Glas Milch bekommen?

HOFFMANN. Mit dem größten Vergnügen.

HELENE. Eduard! Miele soll frisch einmelken.

HOFFMANN *schält ein Ei ab.* Milch — brrr! mich schüttelt's. *Salz und Pfeffer nehmend.* Sag mal, Loth, was führt dich eigentlich in unsere Gegend? Ich hab' bisher ganz vergessen, dich danach zu fragen.

LOTH *bestreicht eine Semmel mit Butter*. Ich möchte die hiesigen Verhältnisse studieren.

HOFFMANN, *mit einem Aufblick*. Bitte . . .? . . . Was für Verhältnisse?

LOTH. Präzise gesprochen — ich will die Lage der hiesigen Bergleute studieren.

HOFFMANN. Ach, die ist im allgemeinen doch eine sehr gute.

LOTH. Glaubst du? — Das wäre ja übrigens recht schön . . . Doch eh ich's vergesse: du mußt mir dabei einen Dienst leisten. Du kannst dich um die Volkswirtschaft sehr verdient machen, wenn . . .

HOFFMANN. Ich? I! wieso ich?

LOTH. Nun, du hast doch den Verschleiß der hiesigen Gruben?

HOFFMANN. Ja! und was dann?

LOTH. Dann wird es dir auch ein leichtes sein, mir die Erlaubnis zur Besichtigung der Gruben auszuwirken. Das heißt: ich will mindestens vier Wochen lang täglich einfahren, damit ich den Betrieb einigermaßen kennenlerne.

HOFFMANN, *leichthin*. Was du da unten zu sehen bekommst, willst du dann wohl schildern?

LOTH. Ja. Meine Arbeit soll vorzugsweise eine deskriptive werden.

HOFFMANN. Das tut mir nun wirklich leid, mit der Sache habe ich gar nichts zu tun. — Du willst bloß über die Bergleute schreiben, wie?

LOTH. Aus dieser Frage hört man, daß du kein Volkswirtschaftler bist.

HOFFMANN, *in seinem Dünkel gekränkt*. Bitte sehr um Entschuldigung! Du wirst mir wohl zutrauen . . . Warum? Ich sehe nicht ein, wieso man diese Frage nicht tun kann? — und schließlich: es wäre kein Wunder . . . Alles kann man nicht wissen.

LOTH. Na, beruhige dich nur! Die Sache ist einfach die: wenn ich die Lage der hiesigen Bergarbeiter studieren will, so ist es unumgänglich, auch alle die Verhältnisse, die diese Lage bedingen, zu berühren.

HOFFMANN. In solchen Schriften wird mitunter schauderhaft übertrieben.

LOTH. Von diesem Fehler gedenke ich mich freizuhalten.

HOFFMANN. Das wird sehr löblich sein. *Er hat bereits mehr-*

mals und jetzt wiederum mit einem kurzen und prüfenden
Blick Helenen gestreift, die mit naiver Andacht an Loths
Lippen hängt, und fährt nun fort: Doch . . . es ist urkomisch,
wie einem so was ganz urplötzlich in den Sinn kommt. Wie
so was im Gehirn nur vor sich gehen mag?

LOTH. Was ist dir denn auf einmal in den Sinn gekommen?

HOFFMANN. Es betrifft dich. — Ich dachte an deine Ver . . .
nein, es ist am Ende taktlos, in Gegenwart von einer jungen
Dame von deinen Herzensgeheimnissen zu reden.

HELENE. Ja, dann will ich doch lieber . . .

LOTH. Bitte sehr, Fräulein! . . . bleiben Sie ruhig, meinet-
wegen wenigstens — ich merke längst, worauf er hinaus-
will. Ist auch durchaus nichts Gefährliches. *Zu Hoffmann:*
Meine Verlobung, nicht wahr?

HOFFMANN. Wenn du selbst darauf kommst, ja! — ich dachte
in der Tat an deine Verlobung mit Anna Faber.

LOTH. Die ging auseinander — naturgemäß —, als ich damals
ins Gefängnis mußte.

HOFFMANN. Das war aber nicht hübsch von deiner . . .

LOTH. Es war jedenfalls ehrlich von ihr! Ihr Absagebrief ent-
hielt ihr wahres Gesicht; hätte sie mir dies Gesicht früher
gezeigt, dann hätte sie sich selbst und auch mir manches
ersparen können.

HOFFMANN. Und seither hat dein Herz nicht irgendwo festgehakt?

LOTH. Nein.

HOFFMANN. Natürlich! Nun: Büchse ins Korn geworfen —
Heiraten verschworen! verschworen wie den Alkohol! Was?
Übrigens: chacun à son goût.

LOTH. Mein Geschmack ist es eben nicht, aber vielleicht mein
Schicksal. Auch ich habe dir, soviel ich weiß, bereits einmal
gesagt, daß ich in bezug auf das Heiraten nichts verschworen habe; was ich fürchte, ist: daß es keine Frau geben
wird, die sich für mich eignet.

HOFFMANN. Ein großes Wort, Lothchen!

LOTH. Im Ernst! — Mag sein, daß man mit den Jahren zu
kritisch wird und zu wenig gesunden Instinkt besitzt. Ich halte
den Instinkt für die beste Garantie einer geeigneten Wahl.

HOFFMANN, *frivol.* Der wird sich schon noch mal wieder
finden — *lachend* —, der Instinkt nämlich.

LOTH. — Schließlich, was kann ich einer Frau bieten? Ich werde immer mehr zweifelhaft, ob ich einer Frau zumuten darf, mit dem kleinen Teile meiner Persönlichkeit vorlieb-zunehmen, der nicht meiner Lebensarbeit gehört — dann fürchte ich mich auch vor der Sorge um die Familie.

HOFFMANN. Wa . . . was? — vor der Sorge um die Familie? Kerl! hast du denn nicht Kopf, Arme, he?

LOTH. Wie du siehst. Aber ich sagte dir ja schon, meine Ar-beitskraft gehört zum größten Teil meiner Lebensaufgabe und wird ihr immer zum größten Teil gehören; sie ist also nicht mehr mein. Ich hätte außerdem mit ganz besonderen Schwierigkeiten . . .

HOFFMANN. Pst! klingelt da nicht jemand?

LOTH. Du hältst das für Phrasengebimmel?

HOFFMANN. Ehrlich gesprochen, es klingt etwas hohl! Unser-einer ist schließlich auch kein Buschmann, trotzdem man verheiratet ist. Gewisse Menschen gebärden sich immer, als ob sie ein Privilegium auf alle in der Welt zu vollbringenden guten Taten hätten.

LOTH, *heftig*. Gar nicht! — denk' ich gar nicht dran. — Wenn du von deiner Lebensaufgabe nicht abgekommen wärst, so würde das an deiner glücklichen materiellen Lebenslage mit liegen.

HOFFMANN, *mit Ironie*. Dann wäre das wohl auch eine deiner Forderungen.

LOTH. Wie? Forderungen? was?

HOFFMANN. Ich meine — du würdest bei einer Heirat auf Geld sehen.

LOTH. Unbedingt.

HOFFMANN. Und dann gibt es — wie ich dich kenne — noch eine lange Zaspel anderer Forderungen.

LOTH. Sind vorhanden! Leibliche und geistige Gesundheit der Braut zum Beispiel ist conditio sine qua non.

HOFFMANN, *lachend*. Vorzüglich, dann wird ja wohl vorher eine ärztliche Untersuchung der Braut notwendig wer-den. — Göttlicher Hecht!

LOTH, *immer ernst*. Ich stelle aber auch an mich Forde-rungen, mußt du nehmen.

HOFFMANN, *immer heiterer*. Ich weiß, weiß! . . . wie du mal die Literatur über Liebe durchgingst, um auf das gewissen-

hafteste festzustellen, ob das, was du damals für irgendeine
Dame empfandest, auch wirklich Liebe sei. Also sag doch
mal noch einige deiner Forderungen.

LOTH. Meine Frau müßte zum Beispiel entsagen können.

HELENE. Wenn . . . wenn . . . ach! ich will lieber nicht reden
. . . ich wollte nur sagen: die Frau ist doch im allgemeinen
ans Entsagen gewöhnt.

LOTH. Um's Himmels willen! Sie verstehen mich durchaus
falsch. So ist das Entsagen nicht gemeint. Nur insofern verlange ich Entsagung, oder besser, nur auf den Teil meines
Wesens, der meiner Lebensaufgabe gehört, müßte sie freiwillig und mit Freuden verzichten. Nein, nein! im übrigen
soll meine Frau fordern und immer fordern — alles, was ihr
Geschlecht im Laufe der Jahrhunderte eingebüßt hat.

HOFFMANN. Au! au! au! . . . Frauenemanzipation! — wirklich,
deine Schwenkung war bewunderungswürdig — nun bist du
ja im rechten Fahrwasser. Alfred Loth oder der Agitator in
der Westentasche! . . . Wie würdest du denn hierin deine
Forderungen formulieren, oder besser: wie weit müßte
deine Frau emanzipiert sein? — Es amüsiert mich wirklich,
dich anzuhören — Zigarren rauchen? Hosen tragen?

LOTH. Das nun weniger — aber — sie müßte allerdings über
gewisse gesellschaftliche Vorurteile hinaus sein. Sie müßte
zum Beispiel nicht davor zurückschrecken, zuerst — falls sie
nämlich wirklich Liebe zu mir empfände — das bewußte
Bekenntnis abzulegen.

HOFFMANN *ist mit Frühstücken zu Ende. Springt auf, in halb
ernster, halb komischer Entrüstung.* Weißt du? das . . . das
ist . . . eine geradezu unverschämte Forderung! mit der du
allerdings auch — wie ich dir hiermit prophezeie —, wenn
du nicht etwa vorziehst, sie fallenzulassen, bis an dein
Lebensende herumlaufen wirst.

HELENE, *mit schwer bewältigter innerer Erregung.* Ich bitte
die Herren, mich jetzt zu entschuldigen — die Wirtschaft . . .
du weißt, Schwager: Mama ist in der Stube, und da . . .

HOFFMANN. Laß dich nicht abhalten.

Helene verbeugt sich; ab.

HOFFMANN, *mit dem Streichholzetui zu dem Zigarrenkistchen,
das auf dem Büfett steht, schreitend.* Das muß wahr sein . . .
Du bringst einen in Hitze . . . ordentlich unheimlich.

*Nimmt eine Zigarre aus der Kiste und läßt sich dann auf das
Sofa links vorn nieder. Er schneidet die Spitze der Zigarre ab
und hält während des Folgenden die Zigarre in der linken,
das abgetrennte Spitzchen zwischen den Fingern der rechten
Hand.* Bei alledem . . . es amüsiert doch. Und dann: du
glaubst nicht, wie wohl es tut, so'n paar Tage auf dem
Lande, abseits von den Geschäften, zuzubringen. Wenn nur
nicht heute dies verwünschte . . . wie spät ist es denn
eigentlich? Ich muß nämlich leider Gottes heute zu einem
Essen nach der Stadt. — Es war unumgänglich: dies Diner
mußte ich geben. Was soll man machen als Geschäfts-
mann? — Eine Hand wäscht die andere. Die Bergbeamten
sind nun mal dran gewöhnt. — Na! eine Zigarre kann man
noch rauchen — in aller Gemütsruhe. *Er trägt das Spitzchen
nach dem Spucknapf, läßt sich dann abermals auf das Sofa
nieder und setzt seine Zigarre in Brand.*

LOTH, *am Tisch; blättert stehend in einem Prachtwerk.* Die
Abenteuer des Grafen Sandor.

HOFFMANN. Diesen Unsinn findest du hier bei den meisten
Bauern aufliegen.

LOTH, *unter dem Blättern.* Wie alt ist eigentlich deine Schwägerin?

HOFFMANN. Im August einundzwanzig gewesen.

LOTH. Ist sie leidend?

HOFFMANN. Weiß nicht. — Glaube übrigens nicht — macht sie
dir den Eindruck? —

LOTH. Sie sieht allerdings mehr verhärmt als krank aus.

HOFFMANN. Na ja! die Scherereien mit der Stiefmutter . . .

LOTH. Auch ziemlich reizbar scheint sie zu sein!?

HOFFMANN. Unter solchen Verhältnissen . . . Ich möchte den
sehen, der unter solchen Verhältnissen nicht reizbar werden
würde . . .

LOTH. Viel Energie scheint sie zu besitzen.

HOFFMANN. Eigensinn!

LOTH. Auch Gemüt, nicht?

HOFFMANN. Zuviel mitunter . . .

LOTH. Wenn die Verhältnisse hier so mißlich für sie sind —
warum lebt deine Schwägerin dann nicht in deiner Familie?

HOFFMANN. Frag sie, warum! — Oft genug hab' ich's ihr an-
geboten. Frauenzimmer haben eben ihre Schrullen. *Die*

*Zigarre im Munde, zieht Hoffmann ein Notizbuch und sum-
miert einige Posten.* Du nimmst es mir doch wohl nicht übel,
wenn ich . . . wenn ich dich dann allein lassen muß?

LOTH. Nein, gar nicht.

HOFFMANN. Wie lange gedenkst du denn noch . . .?

LOTH. Ich werde mir bald nachher eine Wohnung suchen.
Wo wohnt denn eigentlich Schimmelpfennig? Am besten,
ich gehe zu ihm. Der wird mir gewiß etwas vermitteln
können. Hoffentlich findet sich bald etwas Geeignetes, sonst
würde ich die nächste Nacht im Gasthaus nebenan zu-
bringen.

HOFFMANN. Wieso denn? Natürlich bleibst du dann bis morgen bei uns. Freilich, ich bin selbst nur Gast in diesem
Hause — sonst würde ich dich natürlich auffordern . . . Du
begreifst . . .!

LOTH. Vollkommen! . . .

HOFFMANN. Aber sag doch mal — sollte das wirklich dein Ernst
gewesen sein . . .?

LOTH. Daß ich die nächste Nacht im Gast . . .?

HOFFMANN. Unsinn! . . . Bewahre. Was du vorhin sagtest,
meine ich. Die Geschichte da — mit deiner vertrackten
deskriptiven Arbeit?

LOTH. Weshalb nicht?

HOFFMANN. Ich muß dir gestehen, ich hielt es für Scherz. *Er
erhebt sich, vertraulich, halb und halb im Scherz.* Wie? du
solltest wirklich fähig sein, hier . . . gerade hier, wo ein
Freund von dir glücklich festen Fuß gefaßt hat, den Boden
zu unterwühlen?

LOTH. Mein Ehrenwort, Hoffmann! Ich hatte keine Ahnung
davon, daß du dich hier befändest. Hätte ich das gewußt . . .

HOFFMANN *springt auf, hocherfreut.* Schon gut! schon gut!
Wenn die Sachen so liegen . . . siehst du, das freut mich
aufrichtig, daß ich mich nicht in dir getäuscht habe. Also,
du weißt es nun, und selbstredend erhältst du die Kosten
der Reise und alles, was drum und dran baumelt, von mir
vergütet. Ziere dich nicht! Es ist einfach meine Freundes-
pflicht . . . Daran erkenne ich meinen alten, biederen Loth!
Denke mal an: ich hatte dich wirklich eine Zeitlang ernstlich im Verdacht . . . Aber nun muß ich dir auch ehrlich

sagen, so schlecht, wie ich mich zuweilen hinstelle, bin ich keineswegs. Ich habe dich immer hochgeschätzt: dich und dein ehrliches, konsequentes Streben. Ich bin der letzte, der gewisse — leider, leider mehr als berechtigte Ansprüche der ausgebeuteten, unterdrückten Massen nicht gelten läßt. — Ja, lächle nur, ich gehe sogar so weit, zu bekennen, daß es im Reichstag nur eine Partei gibt, die Ideale hat: und das ist dieselbe, der du angehörst! . . . Nur — wie gesagt — langsam! langsam! — nichts überstürzen. Es kommt alles, kommt alles, wie es kommen soll. Nur Geduld! Geduld! . . .

LOTH. Geduld muß man allerdings haben. Deshalb ist man aber noch nicht berechtigt, die Hände in den Schoß zu legen!

HOFFMANN. Ganz meine Ansicht! — Ich hab' dir überhaupt in Gedanken weit öfter zugestimmt als mit Worten. Es ist 'ne Unsitte, ich geb's zu. Ich hab' mir's angewöhnt, im Verkehr mit Leuten, die ich nicht gern in meine Karten sehen lasse . . . Auch in der Frauenfrage . . . du hast manches sehr treffend geäußert. *Er ist inzwischen ans Telephon getreten, weckt und spricht teils ins Telephon, teils zu Loth.* Die kleine Schwägerin war übrigens ganz Ohr . . . *Ins Telephon.* Franz! In zehn Minuten muß angespannt sein . . . *Zu Loth.* Es hat ihr Eindruck gemacht! . . . *Ins Telephon.* Was? — ach was, Unsinn! — Na, da hört doch aber . . . Dann schirren Sie schleunigst die Rappen an . . . *Zu Loth.* Warum sollte es ihr keinen Eindruck machen? . . . *Ins Telephon.* Gerechter Strohsack, zur Putzmacherin, sagen Sie? Die gnädige Frau . . . die gnä . . . Ja — na ja! aber sofort — na ja! — ja! schön! Schluß! *Nachdem er darauf den Knopf der Hausklingel gedrückt, zu Loth.* Wart nur ab, du! Laß mich nur erst den entsprechenden Monetenberg aufgeschichtet haben, vielleicht geschieht dann etwas . . . *Eduard ist eingetreten.* Eduard! Meine Gamaschen, meinen Gehrock! *Eduard ab.* Vielleicht geschieht dann etwas, was ihr mir alle jetzt nicht zutraut . . . Wenn du in zwei oder drei Tagen — bis dahin wohnst du unbedingt bei uns, ich müßte es sonst als eine grobe Beleidigung ansehen — *er legt den Schlafrock ab* —, in zwei bis drei Tagen also, wenn du abzureisen gedenkst, bringe ich dich mit meiner Kutsche zur Bahn. — *Eduard mit Gehrock und Gamaschen tritt ein.* — Hoffmann, *indem er sich den Rock überziehen läßt.* So! *Auf*

einen Stuhl niedersitzend. Nun die Stiefel! *Nachdem er einen*
davon angezogen hat. Das wäre einer!

LOTH. Du hast mich doch wohl nicht ganz verstanden.

HOFFMANN. Ach ja! das ist leicht möglich. Man ist so raus aus
all den Sachen. Nur immer lederne Geschäftsangelegen-
heiten. Eduard! ist denn noch keine Post gekommen?
Warten Sie mal! — Gehen Sie doch mal in mein Zimmer!
Auf dem Pult links liegt ein Schriftstück mit blauem
Deckel, bringen Sie's raus in die Wagentasche.
Eduard ab in die Tür rechts, dann zurück und ab durch die
Mitteltür.

LOTH. Ich meine ja nur! Du hast mich in einer Beziehung
nicht verstanden.

HOFFMANN, *sich immer noch mit dem zweiten Schuh herum-*
quälend. Upsa! . . . So! *Er steht auf und tritt die Schuhe ein.*
Da wären wir. Nichts ist unangenehmer als enge Schuhe . . .
Was meintest du eben?

LOTH. Du sprachst von meiner Abreise . . .

HOFFMANN. Nun?

LOTH. Ich habe dir doch bereits gesagt, daß ich um eines ganz
bestimmten Zweckes willen hier am Orte bleiben muß.

HOFFMANN, *aufs äußerste verblüfft und entrüstet zugleich.* Hör
mal!!! Das ist aber beinahe nichtswürdig! — Weißt du denn
nicht, was du mir als Freund schuldest?

LOTH. Doch wohl nicht den Verrat meiner Sache!?

HOFFMANN, *außer sich.* Nun, dann . . . dann habe ich auch
nicht die kleinste Veranlassung, dir gegenüber als Freund
zu verfahren. Ich sage dir also: daß ich dein Auftreten hier
— gelinde gesprochen — für fabelhaft dreist halte.

LOTH, *sehr ruhig.* Vielleicht erklärst du mir, was dich berechtigt, mich mit dergleichen Epitheta . . .

HOFFMANN. Das soll ich dir auch noch erklären? Da hört eben
Verschiedenes auf! Um so was nicht zu fühlen, muß man
Rhinozeroshaut auf dem Leibe haben! Du kommst hierher,
genießt meine Gastfreundschaft, drischst mir ein paar
Schock deiner abgegriffnen Phrasen vor, verdrehst meiner
Schwägerin den Kopf, schwatzest von alter Freundschaft
und so was Guts, und dann erzählst du ganz naiv: du wolltest eine deskriptive Arbeit über hiesige Verhältnisse ver-
fertigen. Ja, für was hältst du mich denn eigentlich? Meinst

du vielleicht, ich wüßte nicht, daß solche sogenannten Arbeiten nichts als schamlose Pamphlete sind? . . . Solch eine Schmähschrift willst du schreiben, und zwar über unseren Kohlendistrikt. Solltest du denn wirklich nicht begreifen, wen diese Schmähschrift am allerschärfsten schädigen müßte? Doch nur mich! — Ich sage: man sollte euch das Handwerk noch gründlicher legen, als es bisher geschehen ist, Volksverführer, die ihr seid! Was tut ihr? Ihr macht den Bergmann unzufrieden, anspruchsvoll, reizt ihn auf, erbittert ihn, macht ihn aufsässig, ungehorsam, unglücklich, spiegelt ihm goldene Berge vor und grapscht ihm unter der Hand seine paar Hungerpfennige aus der Tasche.

LOTH. Erachtest du dich nun als demaskiert?

HOFFMANN, *roh.* Ach was! Du lächerlicher, gespreizter Tugendmeier! Was mir das wohl ausmacht, vor dir demaskiert zu sein! — Arbeite lieber! Laß deine albernen Faseleien! — Tu was! Komm zu was! Ich brauche niemand um zweihundert Mark anzupumpen. *Schnell ab durch die Mitteltür. Loth sieht ihm einige Augenblicke ruhig nach, dann greift er, nicht minder ruhig, in seine Brusttasche, zieht ein Portefeuille und entnimmt ihm ein Stück Papier (den Scheck Hoffmanns), das er mehrmals durchreißt, um die Schnitzel dann langsam in den Kohlenkasten fallen zu lassen. Jetzt erscheint Helene auf der Schwelle des Wintergartens.*

HELENE, *leise.* Herr Loth!

LOTH *zuckt zusammen, wendet sich.* Ah! Sie sind es. — Nun — dann — kann ich Ihnen doch wenigstens ein Lebewohl sagen.

HELENE, *unwillkürlich.* War Ihnen das Bedürfnis?

LOTH. Ja! — es war mir Bedürfnis —! Vermutlich — wenn Sie dadrin gewesen sind — haben Sie den Auftritt hier mit angehört — und dann . . .

HELENE. Ich habe alles mit angehört.

LOTH. Nun — dann — wird es Sie nicht in Erstaunen setzen, wenn ich dieses Haus so ohne Sang und Klang verlasse.

HELENE. N—nein! — ich begreife! . . . Vielleicht kann Sie's milder gegen ihn stimmen . . . mein Schwager bereut immer sehr schnell. Ich hab's oft . . .

LOTH. Ganz möglich —! Vielleicht gerade deshalb aber ist das, was er über mich sagte, seine wahre Meinung von mir. — Es ist sogar unbedingt seine wahre Meinung.

HELENE. Glauben Sie das im Ernst?

LOTH. Ja! — im Ernst! Also . . . *Er geht auf sie zu und gibt ihr die Hand.* Leben Sie recht glücklich! *Er wendet sich und steht sogleich wieder still.* Ich weiß nicht . . .! oder besser: — *Helenen klar und ruhig ins Gesicht blickend* — Ich weiß, weiß erst seit . . . seit diesem Augenblick, daß es mir nicht ganz leicht ist, von hier fortzugehen . . . und . . . ja . . . und . . . na ja!

HELENE. Wenn ich Sie aber — recht schön bäte . . . recht sehr . . ., noch weiter hierzubleiben —?

LOTH. Sie teilen also nicht die Meinung Ihres Schwagers?

HELENE. Nein! — und das — wollte ich Ihnen unbedingt . . . unbedingt noch sagen, bevor . . . bevor — Sie — gingen.

LOTH *ergreift abermals ihre Hand.* Das tut mir wirklich wohl.

HELENE, *mit sich kämpfend. In einer sich schnell bis zur Bewußtlosigkeit steigernden Erregung. Mühsam hervorstammelnd.* Auch noch mehr wollte ich Ihnen . . . Ihnen sagen, nämlich . . . nämlich, daß — ich Sie sehr hoch — achte und — verehre —, wie ich bis jetzt . . . bis jetzt noch — keinen Mann . . ., daß ich Ihnen — vertraue —, daß ich bereit bin, das . . . das zu beweisen —, daß ich — etwas für dich, Sie fühle . . . *Sinkt ohnmächtig in seine Arme.*

LOTH. Helene!

VIERTER AKT

Wie im zweiten Akt: der Gutshof. Zeit: eine Viertelstunde nach Helenens Liebeserklärung.

Marie und Golisch, der Kuhjunge, schleppen sich mit einer hölzernen Lade die Bodentreppe herunter. Loth kommt reisefertig aus dem Hause und geht langsam und nachdenklich quer über den Hof. Bevor er in den Wirtshaussteg einbiegt, stößt er auf Hoffmann, der mit ziemlicher Eile durch den Hofeingang ihm entgegenkommt.

HOFFMANN, *Zylinder, Glacéhandschuhe.* Sei mir nicht böse. *Er verstellt Loth den Weg und faßt seine beiden Hände.* Ich nehme hiermit alles zurück! . . . nenne mir eine Genug-

tuung! ... Ich bin zu jeder Genugtuung bereit!... ich bereue, bereue alles aufrichtig.

LOTH. Das hilft dir und mir wenig.

HOFFMANN. Ach! — wenn du doch... sieh mal...! mehr kann
man doch eigentlich nicht tun. Ich sage dir: mein Gewissen hat mir keine Ruhe gelassen. Dicht vor Jauer bin
ich umgekehrt, ...daran solltest du doch schon erkennen,
daß es mir Ernst ist. —Wo wolltest du hin...?

LOTH. Ins Wirtshaus — einstweilen.

HOFFMANN. Ach, das darfst du mir nicht antun...! das tu mir
nur nicht an! Ich glaube ja, daß es dich tief kränken mußte.
's ist ja auch vielleicht nicht so — mit ein paar Worten
wiedergutzumachen. Nur nimm mir nicht jede Gelegenheit... jede Möglichkeit, dir zu beweisen... hörst du? Kehr
um... Bleib wenigstens bis... bis morgen. Oder bis... bis
ich zurückkomme. Ich muß mich noch einmal in Muße mit
dir aussprechen darüber; — das kannst du mir nicht ab-
schlagen.

LOTH. Wenn dir daran besonders viel gelegen ist...

HOFFMANN. Alles! ... auf Ehre! — ist mir daran gelegen,
alles!... Also komm!... komm!! Kneif ja nicht aus! —
komm! *Er führt Loth, der sich nun nicht mehr sträubt, in
das Haus zurück. Beide ab.*
*Die entlassene Magd und der Kuhjunge haben inzwischen die
Lade auf den Schubkarren gesetzt, Golisch hat die Trag-
gurte umgenommen.*

MARIE, *während sie Golisch etwas in die Hand drückt.* Doo!
Gooschla! hust a woas!

DER JUNGE *weist es ab.* Behaal den'n Biema!

MARIE. Ä! tumme Dare!

DER JUNGE. Na, wegen menner. *Er nimmt das Geld und tut
es in seinen ledernen Geldbeutel.*

FRAU SPILLER, *von einem der Wohnhausfenster aus, ruft.*
Marie!

MARIE. Woas wullt er noo?

FRAU SPILLER, *nach einer Minute aus der Haustür tretend.*
Die gnädige Frau will dich behalten, wenn du versprichst...

MARIE. Dreck war ich 'r versprecha! — Foahr zu, Goosch!

FRAU SPILLER, *näher tretend.* Die gnädige Frau will dir auch
etwas am Lohn zulegen, wenn du... *Plötzlich flüsternd.*

Mach der nischt draus, Moad! se werd ok manchmal so'n
bisken kullerig.

MARIE, *wütend.* Se maag siich ihre poar Greschla fer sich be-
hahln! — *Weinerlich.* Ehnder derhingern! *Sie folgt Golisch,
der mit dem Schubkarren vorangefahren ist.* Nee, a su woas
oaber oo! — Do sool eens do glei... *Ab. Frau Spiller ihr
nach. Ab.*

*Durch den Haupteingang kommt Baer, genannt Hopslabaer.
Ein langer Mensch mit einem Geierhalse und Kropfe dran.
Er geht barfuß und ohne Kopfbedeckung; die Beinkleider
reichen, unten stark ausgefranst, bis wenig unter die Knie
herab. Er hat eine Glatze; das vorhandene braune, ver-
staubte und verklebte Haar reicht ihm bis über die Schulter.
Sein Gang ist straußenartig. An einer Schnur führt er ein
Kinderwägelchen voll Sand mit sich. Sein Gesicht ist bartlos,
die ganze Erscheinung deutet auf einen einige zwanzig Jahre
alten, verwahrlosten Bauernburschen.*

BAER, *mit merkwürdig blökender Stimme.* Saaa—a—and! Saa—
and! *Er geht durch den Hof und verschwindet zwischen
Wohnhaus und Stallgebäude. Hoffmann und Helene aus dem
Wohnhaus. Helene sieht bleich aus und trägt ein leeres
Wasserglas in der Hand.*

HOFFMANN, *zu Helene.* Unterhalt ihn bissel! verstehst du? —
Laß ihn nicht fort —, es liegt mir sehr viel daran. — So'n
beleidigter Ehrgeiz... Adieu! — Ach! Soll ich am Ende
nicht fahren? — Wie geht's mit Martha? — Ich hab, so'n
eigentümliches Gefühl, als ob's bald... Unsinn! — Adieu!
... höchste Eile. *Ruft.* Franz! Was die Pferde laufen können!
Schnell ab durch den Haupteingang.

*Helene geht zur Pumpe, pumpt das leere Glas voll und leert
es auf einen Zug. Ein zweites Glas Wasser leert sie zur
Hälfte. Das Glas setzt sie dann auf das Pumpenrohr und
schlendert langsam, von Zeit zu Zeit rückwärts schauend,
durch den Torweg hinaus. Baer kommt zwischen Wohnhaus
und Stallung hervor und hält mit seinem Wagen vor der
Wohnhaustür still, wo Miele ihm Sand abnimmt. Indes ist
Kahl von rechts innerhalb des Grenzzaunes sichtbar geworden, im Gespräch mit Frau Spiller, die außerhalb des Zaunes,
also auf dem Terrain des Hofeinganges, sich befindet. Beide
bewegen sich im Gespräch langsam längs des Zaunes hin.*

FRAU SPILLER, *leidend.* Ach ja —m—, gnädiger Herr Kahl! Ich hab —m— manchmal so an Sie —m— gedacht —m—, wenn ... das gnädige Freilein... sie ist doch nun mal —m— sozusagen —m— mit Sie verlobt, und da... ach! —m— zu meiner Zeit...!

KAHL *steigt auf die Bank unter der Eiche und befestigt einen Meisenkasten auf dem untersten Ast.* W—wenn werd denn d.. dd.. doas D.. d.. d.. dukterluder amol sssenner W... wwwege gihn? hä?

FRAU SPILLER. Ach, Herr Kahl! Ich glaube —m—, nicht so bald. — A.. ach, Herr —m— Kahl, ich bin zwar sozusagen —m— etwas —m— herabjekommen, aber ich weiß sozusagen —m—, was Bildung ist. In dieser Hinsicht, Herr Kahl ..., das Freilein —m—, das gnädige Freilein ..., das handeln nicht gut gegen Ihnen — nein! —m— darin, sozusagen —m—, habe ich mir nie etwas zuschulden kommen lassen —m—, mein Gewissen —m—, gnädiger Herr Kahl, ist darin so rein... sozusagen, wie reiner Schnee.

Baer hat sein Sandgeschäft abgewickelt und verläßt in diesem Augenblick, an Kahl vorübergehend, den Hof.

KAHL *entdeckt Baer und ruft.* Hopslabaer, hops amool! *Baer macht einen riesigen Luftsprung. Kahl, vor Lachen wiehernd, ruft ein zweites Mal.* Hopslabaer, hops amool!

FRAU SPILLER. Nun da —m— ja, Herr Kahl!... ich meine es nur gut mit Sie. Sie müssen Obacht geben —m—, gnädiger Herr! Es —m— es ist was im Gange mit dem gnädigen Freilein und —m—m—

KAHL. D.. doas Dukterluder... ok bbbblußig emool vor a Hunden — blußig e..e..e..emool!

FRAU SPILLER, *geheimnisvoll.* Und was das nun noch —m— für ein Indifidium ist. Ach —m—, das gnädige Freilein tut mir auch soo leid. Die Frau —m— vom Polizeidiener, die hat's vom Amte, glaub' ich. Es soll ein ganz —m— gefährlicher Mensch sein. Ihr Mann —m— soll ihn sozusagen — m , denken Sie nur, soll ihn —m— geradezu im Auge behalten.

Loth aus dem Hause. Sieht sich um. Sehn Sie, nun jeht er dem gnädigen Freilein nach —m—. Aa... ach, zuu leid tut es einem.

KAHL. Na wart! *Ab.*

Frau Spiller geht nach der Haustüre. Als sie an Loth vorbeikommt, macht sie eine tiefe Verbeugung. Ab in das Haus.

*Loth langsam durch den Torweg ab. Die Kutschenfrau, eine
magere, abgehärmte und ausgehungerte Frauensperson,
kommt zwischen Stallgebäude und Wohnhaus hervor. Sie
trägt einen großen Topf unter ihrer Schürze versteckt und
schleicht damit, sich überall ängstlich umblickend, nach dem
Kuhstall. Ab in die Kuhstalltür. Die beiden Mägde, jede eine
Schubkarre, hoch mit Klee beladen, vor sich herstoßend,
kommen durch den Torweg herein. Beibst, die Sense über
der Schulter, die kurze Pfeife im Munde, folgt ihnen nach.
Liese hat ihre Schubkarre vor die linke, Auguste vor die
rechte Stalltür gefahren, und beide Mägde beginnen große
Arme voll Klee in den Stall hineinzuschaffen.*

LIESE, *leer aus dem Stall herauskommend.* Du, Guste! de
Marie iis furt.

AUGUSTE. Joa wull doch?!

LIESE. Gih nei! freu die Kutscha-Franzen, se milkt 'r an
Truppen Milch ei.

BEIBST *hängt seine Sense an der Wand auf.* Na! doa lußt ok de
Spillern nee ernt derzune kumma.

AUGUSTE. Oh jechtlich! nee ok nee! beileibe nich!

LIESE. A su a oarm Weib miit achta.

AUGUSTE. Acht kleene Bälge! — die wull'n laba.

LIESE. Ne amool an Truppen Milch tun s' 'r ginn'n... me-
schant iis doas.

AUGUSTE. Wu milkt sie denn?

LIESE. Ganz derhinga de neumalke Fenus!

BEIBST *stopft seine Pfeife; den Tabaksbeutel mit den Zähnen
festhaltend, nuschelt er.* De Marie wär weg?

LIESE. Ju, ju, 's iis fer gewiß! — der Pfaarknecht hot gle
bein 'r geschloofa.

BEIBST, *den Tabaksbeutel in die Tasche steckend.* Amool wiil
jedes! — au de Frau. *Er zündet sich die Pfeife an, darauf
durch den Haupteingang ab. Im Abgehen.* Ich gih a wing
frihsticka!

DIE KUTSCHENFRAU, *den Topf voll Milch vorsichtig unter der
Schürze, guckt aus der Stalltür heraus.* Sitt ma jemanda?

LIESE. Koanst kumma, Kutschen, ma sitt ken'n. Kumm!
kumm schnell!

DIE KUTSCHENFRAU, *im Vorübergehen zu den Mägden.* Ok
fersch Pappekindla.

LIESE, *ihr nachrufend.* Schnell! 's kimmt jemand.

Kutschenfrau zwischen Wohnhaus und Stallung ab.

AUGUSTE. Blußig ok inse Frele.

Die Mägde räumen nun weiter die Schubkarren ab und schieben sie, wenn sie leer sind, unter den Torweg, hierauf beide ab in den Kuhstall. Loth und Helene kommen zum Torweg herein.

LOTH. Widerlicher Mensch! dieser Kahl — frecher Spion!

HELENE. In der Laube vorn, glaub' ich... *Sie gehen durch das Pförtchen in das Gartenstückchen links vorn und in die Laube daselbst.* Es ist mein Lieblingsplatz. — Hier bin ich noch am ungestörtesten, wenn ich mal was lesen will.

LOTH. Ein hübscher Platz hier. — Wirklich! *Beide setzen sich, ein wenig voneinander getrennt, in der Laube nieder. Schweigen. Darauf Loth.* Sie haben so sehr schönes und reiches Haar, Fräulein!

HELENE. Ach ja, mein Schwager sagt das auch. Er meinte, er hätte es kaum so gesehen — auch in der Stadt nicht... Der Zopf ist oben so dick wie mein Handgelenk... Wenn ich es losmache, dann reicht es mir bis zu den Knien. Fühlen Sie mal!... Es fühlt sich wie Seide an, gelt?

LOTH. Ganz wie Seide. *Ein Zittern durchläuft ihn, er beugt sich und küßt das Haar.*

HELENE, *erschreckt.* Ach nicht doch! Wenn...

LOTH. Helene —! War das vorhin nicht dein Ernst?

HELENE. Ach! — ich schäme mich so schrecklich. Was habe ich nur gemacht? — dir ... Ihnen an den Hals geworfen habe ich mich. — Für was müssen Sie mich halten...!

LOTH *rückt ihr näher, nimmt ihre Hand in die seine.* Wenn Sie sich doch darüber beruhigen wollten!

HELENE, *seufzend.* Ach, das müßte Schwester Schmittgen wissen... ich sehe gar nicht hin!

LOTH. Wer ist Schwester Schmittgen?

HELENE. Eine Lehrerin aus der Pension.

LOTH. Wie können Sie sich nur über Schwester Schmittgen Gedanken machen!

HELENE. Sie war sehr gut...! *Sie lacht plötzlich heftig in sich hinein.*

LOTH. Warum lachst du denn so auf einmal?

HELENE, *zwischen Pietät und Laune.* Ach!... Wenn sie auf

dem Chor stand und sang... Sie hatte nur noch einen einzigen langen Zahn... da sollte es immer heißen: Tröste,
tröste mein Volk! und es kam immer heraus: Röste, röste
mein Volk! Das war zu drollig... da mußten wir immer so
lachen... wenn sie so durch den Saal... röste, röste! *Sie
kann sich vor Lachen nicht halten, Loth ist von ihrer Heiter-
keit angesteckt. Sie kommt ihm dabei so lieblich vor, daß er
den Augenblick benutzen will, den Arm um sie zu legen.
Helene wehrt es ab.* Ach nein doch...! Ich habe mich dir ...
Ihnen an den Hals geworfen.

LOTH. Ach! sagen Sie doch nicht so etwas.

HELENE. Aber ich bin nicht schuld, Sie haben sich's selbst
zuzuschreiben. Warum verlangen Sie...

*Loth legt nochmals seinen Arm um sie, zieht sie fester an
sich. Anfangs sträubt sie sich ein wenig, dann gibt sie sich
drein und blickt nun mit freier Glückseligkeit in Loths
glücktrunkenes Gesicht, das sich über das ihre beugt. Un-
versehens, aus einer gewissen Schüchternheit heraus, küßt sie
ihn zuerst auf den Mund. Beide werden rot, dann gibt Loth
ihr den Kuß zurück; lang, innig, fest drückt sich sein Mund
auf den ihren. Ein Geben und Nehmen von Küssen ist eine
Zeit hindurch die einzige Unterhaltung — stumm und beredt
zugleich — der beiden. Loth spricht dann zuerst.*

LOTH. Lene, nicht? Lene heißt du hier so?

HELENE *küßt ihn.* Nenne mich anders... Nenne mich, wie du
gern möcht'st.

LOTH. Liebste!...

*Das Spiel mit dem Küssetauschen und Sich-gegenseitig-Be-
trachten wiederholt sich.*

HELENE, *von Loths Armen fest umschlungen, ihren Kopf an
seiner Brust, mit verschleierten glückseligen Augen, flüstert
im Überschwang.* Ach! — wie schön! Wie schön! —

LOTH. So mit dir sterben!

HELENE, *mit Inbrunst.* Leben!... *Sie löst sich aus seinen
Armen.* Warum denn jetzt sterben?... jetzt...

LOTH. Das mußt du nicht falsch auffassen. Von jeher berausche ich mich ... besonders in glücklichen Momenten
berausche ich mich in dem Bewußtsein, es in der Hand zu
haben, weißt du?

HELENE. Den Tod in der Hand zu haben?

LOTH, *ohne jede Sentimentalität.* Ja! und so hat er gar nichts Grausiges, im Gegenteil, so etwas Freundschaftliches hat er für mich. Man ruft und weiß bestimmt, daß er kommt. Man kann sich dadurch über alles mögliche hinwegheben, Vergangenes — und Zukünftiges... *Helenens Hand betrachtend.* Du hast eine so wunderhübsche Hand. *Er streichelt sie.*

HELENE. Ach ja! — so... *Sie drückt sich aufs neue in seine Arme.*

LOTH. Nein, weißt du! ich hab' nicht gelebt!... bisher nicht!

HELENE. Denkst du, ich?... Mir ist fast taumlig... taumlig bin ich vor Glück. Gott! wie ist das — nur so auf einmal.

LOTH. Ja, so auf einmal...

HELENE. Hör mal! so ist mir: die ganze Zeit meines Lebens — ein Tag! — gestern und heut — ein Jahr! gelt?

LOTH. Erst gestern bin ich gekommen?

HELENE. Ganz gewiß! — eben! — natürlich! ... Ach, ach, du weißt es nicht mal!

LOTH. Es kommt mir wahrhaftig auch vor...

HELENE. Nicht —? Wie 'n ganzes, geschlag'nes Jahr! — Nicht —? *Halb aufspringend.* Wart! — Kommt — da nicht... *Sie rücken auseinander.* Ach! es ist mir auch — egal. Ich bin jetzt — so mutig. *Sie bleibt sitzen und muntert Loth mit einem Blick auf, näher zu rücken, was dieser sogleich tut.*

HELENE, *in Loths Armen.* Du! — Was tun wir denn nu zuerst?

LOTH. Deine Stiefmutter würde mich wohl abweisen.

HELENE. Ach, meine Stiefmutter... das wird wohl gar nicht.. gar nichts geht's die an! Ich mache, was ich will... Ich hab' mein mütterliches Erbteil, mußt du wissen.

LOTH. Deshalb meinst du...

HELENE. Ich bin majorenn, Vater muß mir's auszahlen.

LOTH. Du stehst wohl nicht gut — mit allen hier? — Wohin ist denn dein Vater verreist?

HELENE. Verr... du hast...? Ach, du hast Vater noch nicht gesehen?

LOTH. Nein! Hoffmann sagte mir...

HELENE. Doch!... hast du ihn schon einmal gesehen.

LOTH. Ich wüßte nicht!... Wo denn, Liebste?

HELENE. Ich... *Sie bricht in Tränen aus.* Nein, ich kann — kann dir's noch nicht sagen...zu furchtbar schrecklich ist das.

LOTH. Furchtbar schrecklich? Aber Helene! ist denn deinem Vater etwas...

HELENE. Ach! — frag mich nicht! Jetzt nicht! Später!

LOTH. Was du mir nicht freiwillig sagen willst, danach werde ich dich auch gewiß nicht mehr fragen... Sieh mal, was das Geld anlangt... im schlimmsten Falle... ich verdiene ja mit dem Artikelschreiben nicht gerade überflüssig viel, aber ich denke, es müßte am Ende für uns beide ganz leidlich hinreichen.

HELENE. Und ich würde doch auch nicht müßig sein. Aber besser ist besser. Das Erbteil ist vollauf genug — und du sollst deine Aufgabe... nein, die sollst du unter keiner Bedingung aufgeben, jetzt erst recht...! jetzt sollst du erst recht die Hände freibekommen.

LOTH, *sie innig küssend.* Liebes, edles Geschöpf!...

HELENE. Hast du mich wirklich lieb...? Wirklich?... wirklich?

LOTH: Wirklich.

HELENE. Sag hundertmal wirklich.

LOTH. Wirklich, wirklich und wahrhaftig.

HELENE. Ach, weißt du! du schummelst!

LOTH. Das Wahrhaftig gilt hundert Wirklich.

HELENE. So!? wohl in Berlin?

LOTH. Nein, eben in Witzdorf.

HELENE. Ach, du!... Sieh meinen kleinen Finger und lache nicht.

LOTH. Gern.

HELENE. Hast du außer deiner ersten Braut noch andere ge...? Du! du lachst.

LOTH. Ich will dir was im Ernst sagen, Liebste, ich halte es für meine Pflicht... Ich habe mit einer großen Anzahl Frauen...

HELENE, *schnell und heftig auffahrend, drückt ihm den Mund zu.* Um Gott...! sag mir das einmal — später —, wenn wir alt sind ... nach Jahren —, wenn ich dir sagen werde: jetzt — hörst du! nicht eher.

LOTH. Gut! wie du willst.

HELENE. Lieber was Schönes jetzt!... Paß auf: sprich mir mal das nach!

LOTH: Was?

HELENE. »Ich hab' dich —«

LOTH. »Ich hab' dich —«

HELENE. »und nur immer dich —«

LOTH. »und nur immer dich —«

HELENE. »geliebt — geliebt zeit meines Lebens —«

LOTH. »geliebt — geliebt zeit meines Lebens —«

HELENE. »und werde nur dich allein zeit meines Lebens lieben.«

LOTH. »und werde nur dich allein zeit meines Lebens lieben«, und das ist wahr, so wahr ich ein ehrlicher Mann bin.

HELENE, *freudig.* Das habe ich nicht gesagt.

LOTH. Aber ich. *Küsse.*

HELENE *summt ganz leise.* Du, du liegst mir im Herzen...

LOTH. Jetzt sollst du auch beichten.

HELENE. Alles, was du willst.

LOTH. Beichte! Bin ich der erste?

HELENE. Nein.

LOTH. Wer?

HELENE, *übermütig herauslachend.* Koahl Willem!

LOTH, *lachend.* Wer noch?

HELENE. Ach nein! weiter ist es wirklich keiner. Du mußt mir glauben... Wirklich nicht. Warum sollte ich denn lügen...?

LOTH. Also doch noch jemand?

HELENE, *heftig.* Bitte, bitte, bitte, bitte, frag mich jetzt nicht darum. *Versteckt das Gesicht in den Händen, weint scheinbar ganz unvermittelt.*

LOTH. Aber ... aber Lenchen! ich dringe ja durchaus nicht in dich.

HELENE. Später! alles, alles später.

LOTH. Wie gesagt, Liebste...

HELENE. 's war jemand — mußt du wissen —, den ich, ...weil ...weil er unter Schlechten mir weniger schlecht vorkam. Jetzt ist das ganz anders. *Weinend an Loths Halse, stürmisch.* Ach, wenn ich doch gar nicht mehr von dir fort müßte! Am liebsten ginge ich gleich auf der Stelle mit dir.

LOTH. Du hast es wohl sehr schlimm hier im Hause?

HELENE. Ach, du! — Es ist ganz entsetzlich, wie es hier zugeht; ein Leben wie — das... wie das liebe Vieh — ich wäre darin umgekommen ohne dich — mich schaudert's!

LOTH. Ich glaube, es würde dich beruhigen, wenn du mir alles offen sagtest, Liebste!

HELENE. Ja freilich! aber — ich bring's nicht über mich. Jetzt nicht... jetzt noch nicht! — Ich fürcht' mich förmlich.

LOTH. Du warst in der Pension.

HELENE. Die Mutter hat es bestimmt — auf dem Sterbebett noch.

LOTH. Auch deine Schwester war...?

HELENE. Nein! — die war immer zu Hause... Und als ich dann nun vor vier Jahren wiederkam, da fand ich — einen Vater —, der... eine Stiefmutter —, die... eine Schwester ... rat mal, was ich meine!

LOTH: Deine Stiefmutter ist zänkisch. — Nicht? — Vielleicht eifersüchtig? — lieblos?

HELENE. Der Vater...?

LOTH. Nun! — der wird aller Wahrscheinlichkeit nach in ihr Horn blasen. — Tyrannisiert sie ihn vielleicht?

HELENE. Wenn's weiter nichts wär... Nein!... es ist zu entsetzlich! — Du kannst nicht darauf kommen —, daß... der — mein Vater..., daß es mein Vater war —, den — du...

LOTH. Weine nur nicht, Lenchen! ... siehst du — nun möcht' ich beinah ernstlich darauf dringen, daß du mir...

HELENE. Nein! es geht nicht! Ich habe noch nicht die Kraft, — es — dir...

LOTH. Du reibst dich auf, so.

HELENE. Ich schäme mich zu bodenlos! — du... du wirst mich fortstoßen, fortjagen...! Es ist über alle Begriffe... Ekelhaft ist es!

LOTH. Lenchen, du kennst mich nicht —, sonst würd'st du mir so etwas nicht zutrauen. — Fortstoßen! fortjagen! Komme ich dir denn wirklich so brutal vor?

HELENE. Schwager Hoffmann sagte: Du würdest — kaltblütig... Ach nein! nein! nein! das tust du doch nicht! gelt? — Du schreitest nicht über mich weg? tu es nicht!! — Ich weiß nicht, — was — dann noch aus — mir werden sollte.

LOTH: Ja, aber das ist ja Unsinn! Ich hätte ja gar keinen Grund dazu.

HELENE. Also du hältst es doch für möglich?!

LOTH. Nein! — eben nicht.

HELENE. Aber wenn du dir einen Grund ausdenken kannst.

LOTH. Es gäbe allerdings Gründe, aber — die stehen nicht in Frage.

HELENE. Und solche Gründe?

LOTH. Nur wer mich zum Verräter meiner selbst machen wollte, über den müßte ich hinweggehen.

HELENE. Das will ich gewiß nicht — aber ich werde halt das Gefühl nicht los.

LOTH. Was für ein Gefühl, Liebste?

HELENE. Es kommt vielleicht daher: ich bin so dumm! — Ich hab' gar nichts in mir. Ich weiß nicht mal, was das ist, Grundsätze. — Gelt? das ist doch schrecklich. Ich lieb' dich nur so einfach! — aber du bist so gut, so groß — und hast so viel in dir. Ich habe solche Angst, du könntest doch noch mal merken —, wenn ich was Dummes sage — oder mache —, daß es doch nicht geht... daß ich doch viel zu einfältig für dich bin... Ich bin wirklich schlecht und dumm wie Bohnenstroh.

LOTH. Was soll ich dazu sagen?! Du bist mir alles in allem! Alles in allem bist du mir. Mehr weiß ich nicht.

HELENE. Und gesund bin ich ja auch...

LOTH. Sag mal! sind deine Eltern gesund?

HELENE. Ja, das wohl! das heißt: die Mutter ist am Kindbett-fieber gestorben. Vater ist noch gesund; er muß sogar eine starke Natur haben. Aber...

LOTH. Na! — siehst du; also...

HELENE. Und wenn die Eltern nun nicht gesund wären?

LOTH *küßt Helene.* Sie sind's ja doch, Lenchen.

HELENE. Aber wenn sie es nicht wären —?

Frau Krause stößt ein Wohnhausfenster auf und ruft in den Hof.

FRAU KRAUSE. Ihr Madel! Ihr Maa..del!!

LIESE, *aus dem Kuhstall.* Frau Krausen!?

FRAU KRAUSE. Renn zur Müllern! 's giht luus!

LIESE. Wa—a, zur Hebomme Millern, meen Se?

FRAU KRAUSE. Na? lei'st uff a Uhr'n? *Sie schlägt das Fenster zu. Liese rennt in den Stall und dann mit einem Tüchelchen um den Kopf zum Hofe hinaus. Frau Spiller erscheint in der Haustür.*

FRAU SPILLER *ruft.* Fräulein Helene!... gnädiges Fräulein Helene!

HELENE. Was da nur los sein mag?

FRAU SPILLER, *sich der Laube nähernd*. Fräulein Helene.

HELENE. Ach! das wird's sein! — die Schwester. Geh fort!
da herum. *Loth schnell links vorn ab. Helene tritt aus der
Laube.*

FRAU SPILLER. Fräulein...! ach, da sind Sie endlich.

HELENE. Was is denn?

FRAU SPILLER. Aach —m— bei Frau Schwester — *flüstert ihr
etwas ins Ohr —m—m—*

HELENE. Mein Schwager hat anbefohlen, für den Fall sofort
nach dem Arzt zu schicken.

FRAU SPILLER. Gnädiges Fräulein —m—, sie will doch aber
—m— will doch aber keinen Arzt —m—, die Ärzte, aach die
—m— Ärzte! —m— mit Gottes Beistand...
Miele kommt aus dem Hause.

HELENE. Miele! gehen Sie augenblicklich zum Doktor
Schimmelpfennig.

FRAU SPILLER. Aber Fräulein...

FRAU KRAUSE, *aus dem Fenster, gebieterisch*. Miele! Du
kimmst ruff!

HELENE, *ebenso*. Sie gehen zum Arzt, Miele. *Miele zieht sich
ins Haus zurück.* Nun, dann will ich selbst... *Sie geht in
Haus und kommt, den Strohhut am Arm, sogleich zurück.*

FRAU SPILLER. Dann —m— wird es schlimm. Wenn Sie den
Arzt holen —m— gnädiges Fräulein, dann —m—, wird es
gewiß schlimm.
*Helene geht an ihr vorüber. Frau Spiller zieht sich kopf-
schüttelnd ins Haus zurück. Als Helene in die Hofeinfahrt
biegt, steht Kahl am Grenzzaun.*

KAHL *ruft Helenen zu.* Woas iis denn bei eich luus?
*Helene hält im Lauf nicht inne, noch würdigt sie Kahl eines
Blickes oder einer Antwort.*

KAHL, *lachend*. Ihr ha't wull Schweinschlachta?

FÜNFTER AKT

Das Zimmer wie im ersten Akt. Zeit: gegen zwei Uhr nachts. Im Zimmer herrscht Dunkelheit. Durch die offene Mitteltür dringt Licht aus dem erleuchteten Hausflur. Deutlich beleuchtet ist auch noch die Holztreppe in dem ersten Stock. Alles in diesem Akt — bis auf wenige Ausnahmen — wird in einem gedämpften Tone gesprochen. Eduard, mit Licht, tritt durch die Mitteltür ein. Er entzündet die Hängelampe über dem Ecktisch (Gasbeleuchtung). Als er damit beschäftigt ist, kommt Loth ebenfalls durch die Mitteltür.

EDUARD. Ja, ja! — bei die Zucht... 't muß reen unmenschenmeglich sint, een Oge zuzutun.

LOTH. Ich wollte nicht mal schlafen. Ich habe geschrieben.

EDUARD. Ach wat! *Er steckt an.* So! — na jewiß! — et mag ja woll schwer jenug sin... Wünschen der Herr Doktor vielleicht Dinte und Feder?

LOTH. Am Ende... wenn Sie so freundlich sein wollen, Herr Eduard.

EDUARD, *indem er Tinte und Feder auf den Tisch setzt.* Ick meen all immer, was 'n ehrlicher Mann is, der muß Haut und Knochen dransetzen um jeden lumpichten Jroschen. Nich mal det bisken Nachtruhe hat man. — *Immer vertraulicher.* Aber die Nation hier, die duht reen jar nischt! so'n faules, nichtsnutziges Pack, so'n... Der Herr Doktor müssen jewiß ooch all dichtig in't Zeuch jehn um det bisken Lebensunterhalt wie alle ehrlichen Leute.

LOTH. Wünschte, ich brauchte es nicht!

EDUARD. Na, wat meen Se woll! ick ooch!

LOTH. Fräulein Helene ist wohl bei ihrer Schwester?

EDUARD. Allet wat wahr is: d' is 'n jutes Mä'chen! jeht ihr nich von der Seite.

LOTH *sieht auf die Uhr.* Um elf Uhr früh begannen die Wehen. Sie dauern also... fünfzehn Stunden dauern sie jetzt bereits. — Fünfzehn lange Stunden —!

EDUARD. Weeß Jott! — und det benimen se nu 't schwache Jeschlecht — sie jappt aber ooch man nur noch so.

LOTH. Herr Hoffmann ist auch oben!?

EDUARD. Und ick sag' Ihnen, 't reene Weib.

LOTH. Das mit anzusehen ist wohl auch keine Kleinigkeit.

EDUARD. I! nu! det will ick meenen! Na! eben is Doktor Schimmelpfennig zujekommen. Det is 'n Mann, sag' ick Ihnen: jrob wie 'ne Sackstrippe, aber — Zucker is 'n dummer Junge dajejen. Sagen Se man bloß, wat is aus det olle Berlin... *Er unterbricht sich mit einem:* Jott Strambach!, *da Hoffmann und der Doktor die Treppe herunterkommen.*

Hoffmann und Doktor Schimmelpfennig treten ein.

HOFFMANN. Jetzt — bleiben Sie doch wohl bei uns.

DOKTOR SCHIMMELPFENNIG. Ja! jetzt werde ich hierbleiben.

HOFFMANN. Das ist mir eine große, große Beruhigung. — Ein Glas Wein...? Sie trinken doch ein Glas Wein, Herr Doktor!?

DOKTOR SCHIMMELPFENNIG. Wenn Sie etwas tun wollen, dann lassen Sie mir schon lieber eine Tasse Kaffee brauen.

HOFFMANN. Mit Vergnügen. — Eduard! Kaffee für Herrn Doktor! *Eduard ab.* Sie sind...? Sind Sie zufrieden mit dem Verlauf?

DOKTOR SCHIMMELPFENNIG. Solange Ihre Frau Kraft behält, ist jedenfalls direkte Gefahr nicht vorhanden. Warum haben Sie übrigens die junge Hebamme nicht zugezogen? Ich hatte Ihnen doch eine empfohlen, soviel ich weiß.

HOFFMANN. Meine Schwiegermama... was soll man machen? Wenn ich ehrlich sein soll: auch meine Frau hatte kein Vertrauen zu der jungen Person.

DOKTOR SCHIMMELPFENNIG. Und zu diesem fossilen Gespenst haben Ihre Damen Vertrauen!? Wohl bekomm's! — Sie möchten gern wieder hinauf?

HOFFMANN. Ehrlich gesagt: ich habe nicht viel Ruhe hier unten.

DOKTOR SCHIMMELPFENNIG. Besser wär's freilich, Sie gingen irgendwohin, aus dem Hause.

HOFFMANN. Beim besten Willen, das ... ach, Loth! da bist du ja auch noch. *Loth erhebt sich von dem Sofa im dunklen Vordergrunde und geht auf die beiden zu.*

DOKTOR SCHIMMELPFENNIG, *aufs äußerste überrascht.* Donnerwetter.

LOTH. Ich hörte schon, daß du hier seist. Morgen hätte ich dich unbedingt aufgesucht.

Beide schütteln sich tüchtig die Hände. Hoffmann benutzt den

Augenblick, am Büfett schnell ein Glas Kognak hinunter-
zuspülen, dann sich auf den Zehen hinaus- und die Holz-
treppe hinaufzuschleichen.

Das Gespräch der beiden Freunde steht am Anfang unverkenn-
bar unter dem Einfluß einer gewissen leisen Zurückhaltung.

DOKTOR SCHIMMELPFENNIG. Du hast also wohl... hah... die
alte dumme Geschichte vergessen? *Er legt Hut und Stock*
beiseite.

LOTH. Längst vergessen, Schimmel!

DOKTOR SCHIMMELPFENNIG. Na, ich auch! das kannst du dir
denken. *Sie schütteln sich nochmals die Hände.* Ich habe in
dem Nest hier so wenig freudige Überraschungen gehabt,
daß mir die Sache ganz kurios vorkommt. Merkwürdig! Gerade hier treffen wir uns. — Merkwürdig!

LOTH. Rein verschollen bist du ja, Schimmel! Hätte dich
sonst längst mal umgestoßen.

DOKTOR SCHIMMELPFENNIG. Unter Wasser gegangen wie ein
Seehund. Tiefseeforschungen gemacht. In anderthalb
Jahren etwa hoffe ich wieder aufzutauchen. Man muß ma-
teriell unabhängig sein, wissen Sie... weißt du, wenn man
etwas Brauchbares leisten will.

LOTH. Also du machst auch Geld hier?

DOKTOR SCHIMMELPFENNIG. Natürlicherweise, und zwar so
viel als möglich. Was sollte man hier auch anders tun?

LOTH. Du hätt'st doch mal was von dir hören lassen sollen.

DOKTOR SCHIMMELPFENNIG. Erlauben Sie... erlaube, hätte
ich von mir was hören lassen, dann hätte ich von euch was
wiedergehört, und ich wollte durchaus nichts hören. Nichts
— gar nichts, das hätte mich höchstens von meiner Gold-
wäscherei abhalten können. *Beide gehen langsamen Schritts*
auf und ab im Zimmer.

LOTH. Na ja — du kannst dich dann aber auch nicht wundern,
daß sie... nämlich ich muß dir sagen, sie haben dich eigentlich alle, durch die Bank, aufgegeben.

DOKTOR SCHIMMELPFENNIG. Sieht ihnen ähnlich. — Bande! —
sollen schon was merken.

LOTH. Schimmel, genannt: das Rauhbein!

DOKTOR SCHIMMELPFENNIG. Du solltest nur sechs Jahre unter
diesen Bauern gelebt haben. Himmelhunde alle miteinander.

LOTH. Das kann ich mir denken. — Wie bist du denn gerade nach Witzdorf gekommen?

DOKTOR SCHIMMELPFENNIG. Wie's so geht. Damals mußte ich doch auskneifen, von Jena weg.

LOTH. War das vor meinem Reinfall?

DOKTOR SCHIMMELPFENNIG. Jawohl. Kurze Zeit nachdem wir unser Zusammenleben aufgesteckt hatten. In Zürich legte ich mich dann auf die Medizinerei, zunächst um etwas für den Notfall zu haben; dann fing aber die Sache an, mich zu interessieren, und jetzt bin ich mit Leib und Seele Medikus.

LOTH. Und hierher...? Wie kamst du hierher?

DOKTOR SCHIMMELPFENNIG. Ach so! — einfach! Als ich fertig war, da sagte ich mir: nun vor allen Dingen einen hinreichenden Haufen Kies. Ich dachte an Amerika, Süd- und Nord-Amerika, an Afrika, Australien, die Sundainseln ... am Ende fiel mir ein, daß mein Knabenstreich ja mittlerweile verjährt war; da habe ich mich denn entschlossen, in die Mausefalle zurückzukriechen.

LOTH. Und dein Schweizer Examen?

DOKTOR SCHIMMELPFENNIG. Ich mußte eben die Geschichte hier noch mal über mich ergehen lassen.

LOTH. Du hast also das Staatsexamen zweimal gemacht, Kerl!?

DOKTOR SCHIMMELPFENNIG. Ja! — Schließlich habe ich dann glücklicherweise diese fette Weide hier ausfindig gemacht.

LOTH. Du bist zähe, zum Beneiden.

DOKTOR SCHIMMELPFENNIG. Wenn man nur nicht plötzlich mal zusammenklappt. — Na! schließlich ist's auch kein Unglück.

LOTH. Hast du denn 'ne große Praxis?

DOKTOR SCHIMMELPFENNIG. Ja! Mitunter komme ich erst um fünf Uhr früh zu Bett, um sieben Uhr fängt dann bereits wieder meine Sprechstunde an. — *Eduard kommt und bringt Kaffee. — Doktor Schimmelpfennig, indem er sich am Tisch niederläßt, zu Eduard:* Danke, Eduard! — *Zu Loth:* Kaffee saufe ich ... unheimlich.

LOTH. Du solltest das lieber lassen mit dem Kaffee.

DOKTOR SCHIMMELPFENNIG. Was soll man machen?! *Er nimmt kleine Schlucke.* Wie gesagt — ein Jahr noch, dann — hört's auf... hoffentlich wenigstens.

LOTH. Willst du dann gar nicht mehr praktizieren?

DOKTOR SCHIMMELPFENNIG. Glaube nicht. Nein ... nicht mehr. *Er schiebt das Tablett mit dem Kaffeegeschirr zurück, wischt sich den Mund.* Übrigens — zeig mal deine Hand. *Loth hält ihm beide Hände hin.* Nein? — keine Dalekarlierin heimgeführt? — keine gefunden, wie? ... Wolltest doch immer so 'n Ur- und Kernweib von wegen des gesunden Blutes. Hast übrigens recht: wenn schon, denn schon ... oder nimmst du's in dieser Beziehung nicht mehr so genau?

LOTH. Na ob...! und wie!

DOKTOR SCHIMMELPFENNIG. Ach, wenn die Bauern hier doch auch solche Ideen hätten. Damit sieht's aber jämmerlich aus, sage ich dir, Degeneration auf der ganzen... *Er hat seine Zigarrentasche halb aus der Brusttasche gezogen, läßt sie aber wieder zurückgleiten und steht auf, als irgendein Laut durch die nur angelehnte Hausflurtür hereindringt.* Warte mal! *Er geht auf den Zehen bis zur Hausflurtür und horcht. Eine Tür geht draußen, man hört einige Augenblicke deutlich das Wimmern der Wöchnerin. Der Doktor sagt, zu Loth gewandt, leise:* Entschuldige! *und geht hinaus.*

Einige Augenblicke durchmißt Loth, während draußen Türen schlagen, Menschen die Treppe auf und ab laufen, das Zimmer; dann setzt er sich in den Lehnsessel rechts vorn. Helene huscht herein und umschlingt Loth, der ihr Kommen nicht bemerkt hat, von rückwärts.

LOTH, *sich umblickend, sie ebenfalls umfassend.* Lenchen!! *Er zieht sie zu sich herunter und trotz gelinden Sträubens auf sein Knie. Helene weint unter den Küssen, die er ihr gibt.* Ach, weine doch nicht, Lenchen! Warum weinst du denn so sehr?

HELENE. Warum? weiß ich's?!... Ich denk' immer, ich treff' dich nicht mehr. Vorhin habe ich mich so erschrocken...

LOTH. Weshalb denn?

HELENE. Weil ich dich aus deinem Zimmer treten hörte — ach!... und die Schwester — wir armen, armen Weiber! — die muß zu sehr ausstehen.

LOTH. Der Schmerz vergißt sich schnell, und auf den Tod geht's ja nicht.

HELENE. Ach, du! sie wünscht sich ihn ja... sie jammert nur

immer so: laßt mich doch sterben... Der Doktor! *Sie springt auf und huscht in den Wintergarten.*

DOKTOR SCHIMMELPFENNIG, *im Hereintreten.* Nun wünschte ich wirklich, daß sich das Frauchen da oben 'n bissel beeilte! *Er läßt sich am Tisch nieder, zieht neuerdings die Zigarrentasche, entnimmt ihr eine Zigarre und legt diese neben sich.* Du kommst mit zu mir dann, wie? — hab' draußen so'n notwendiges Übel mit zwei Gäulen davor, da können wir drin zu mir fahren. *Seine Zigarre an der Tischkante klopfend.* Der süße Ehestand! ja, ja! *Ein Zündholz anstreichend.* Also noch frisch, frei, fromm, froh?

LOTH. Hättest noch gut ein paar Tage warten können mit deiner Frage.

DOKTOR SCHIMMELPFENNIG, *bereits mit brennender Zigarre.* Wie? ... ach... ach so! — *lachend* — also endlich doch auf meine Sprünge gekommen.

LOTH. Bist du wirklich noch so entsetzlich pessimistisch in bezug auf Weiber?

DOKTOR SCHIMMELPFENNIG. Entsetzlich! *Dem Rauch seiner Zigarre nachblickend.* Früher war ich Pessimist — sozusagen ahnungsweise...

LOTH. Hast du denn inzwischen so besondere Erfahrungen gemacht?

DOKTOR SCHIMMELPFENNIG. Ja, allerdings! — auf meinem Schilde steht nämlich: Spezialist für Frauenkrankheiten. — Die medizinische Praxis macht nämlich furchtbar klug ... furchtbar — gesund, ... ist Spezifikum gegen... allerlei Staupen!

LOTH *lacht.* Na, da könnten wir ja gleich wieder in der alten Tonart anfangen. Ich hab' nämlich... ich bin nämlich keineswegs auf deine Sprünge gekommen. Jetzt weniger als je!... Auf diese Weise hast du wohl auch dein Steckenpferd vertauscht?

DOKTOR SCHIMMELPFENNIG. Steckenpferd?

LOTH. Die Frauenfrage war doch zu damaliger Zeit gewissermaßen dein Steckenpferd!

DOKTOR SCHIMMELPFENNIG. Ach so! — Warum sollte ich es vertauscht haben?

LOTH. Wenn du über die Weiber noch schlechter denkst als...

DOKTOR SCHIMMELPFENNIG, *ein wenig in Harnisch, erhebt sich*

und geht hin und her, dabei spricht er. Ich — denke nicht
schlecht von den Weibern. — Kein Bein! — Nur über das
Heiraten denke ich schlecht... über die Ehe... über die
Ehe, und dann höchstens noch über die Männer denke ich
schlecht. Die Frauenfrage soll mich nicht mehr interessieren? Ja, weshalb hätte ich denn sonst sechs lange Jahre
hier wie 'n Lastpferd gearbeitet? Doch nur, um alle meine
verfügbaren Kräfte endlich mal ganz der Lösung dieser
Frage zu widmen. Wußtest du denn das nicht von Anfang
an?

LOTH. Wo hätte ich's denn her wissen sollen?!

DOKTOR SCHIMMELPFENNIG. Na, wie gesagt... ich hab' auch
schon ein ziemlich ausgiebiges Material gesammelt, das mir
gute Dienste leisten...! bsst! ich hab' mir das Schreien so
angewöhnt. *Er schweigt, horcht, geht zur Tür und kommt
zurück.* Was hat dich denn eigentlich unter die Goldbauern
geführt?

LOTH. Ich möchte die hiesigen Verhältnisse studieren.

DOKTOR SCHIMMELPFENNIG, *mit gedämpfter Stimme.* Idee!
Noch leiser. Da kannst du bei mir auch Material bekommen.

LOTH. Freilich, du mußt ja sehr unterrichtet sein über die
Zustände hier. Wie sieht es denn so in den Familien aus?

DOKTOR SCHIMMELPFENNIG. Elend! ... durchgängig ... Suff!
Völlerei, Inzucht und infolge davon — Degeneration auf
der ganzen Linie.

LOTH. Mit Ausnahmen doch!?

DOKTOR SCHIMMELPFENNIG. Kaum!

LOTH, *unruhig.* Bist du denn nicht zuweilen in... in Ver-
suchung geraten, eine... eine Witzdorfer Goldtochter zu
heiraten?

DOKTOR SCHIMMELPFENNIG. Pfui Teufel! Kerl, für was hältst
du mich? — Ebenso könntest du mich fragen, ob ich...

LOTH, *sehr bleich.* Wie... wieso?

DOKTOR SCHIMMELPFENNIG. Weil... ist dir was?
 Er fixiert ihn einige Augenblicke.

LOTH. Gar nichts! Was soll mir denn sein?

DOKTOR SCHIMMELPFENNIG *ist plötzlich sehr nachdenklich,
geht und steht jäh und mit einem leisen Pfiff still, blickt Loth
abermals flüchtig an und sagt dann halblaut zu sich selbst.*
Schlimm!

LOTH. Du bist ja so sonderbar plötzlich.

DOKTOR SCHIMMELPFENNIG. Still! *Er horcht auf und verläßt dann schnell das Zimmer durch die Mitteltür.*

HELENE, *nach einigen Augenblicken durch die Mitteltür; sie ruft.* Alfred! — Alfred!... Ach, da bist du — Gott sei Dank!

LOTH. Nun, ich sollte wohl am Ende gar fortgelaufen sein? *Umarmung.*

HELENE *biegt sich zurück. Mit unverkennbarem Schrecken im Ausdruck.* Alfred!

LOTH. Was denn, Liebste?

HELENE. Nichts, nichts!

LOTH. Aber du mußt doch was haben?

HELENE. Du kamst mir so... so kalt... Ach, ich hab' solche schrecklich dumme Einbildungen.

LOTH. Wie steht's denn oben?

HELENE. Der Doktor zankt mit der Hebamme.

LOTH. Wird's nicht bald zu Ende gehn?

HELENE. Weiß ich's? — Aber wenn's... wenn's zu Ende ist, meine ich, dann...

LOTH. Was dann?... Sag doch, bitte! was wolltest du sagen?

HELENE. Dann sollten wir bald von hier fortgehen. Gleich auf der Stelle!

LOTH. Wenn du das wirklich für das Beste hältst, Lenchen —

HELENE. Ja, ja! wir dürfen nicht warten! Es ist das Beste — für dich und mich. Wenn du mich nicht jetzt bald nimmst, dann läßt du mich heilig noch sitzen, und dann... dann ... muß ich doch noch zugrunde gehn.

LOTH. Wie du doch mißtrauisch bist, Lenchen!

HELENE. Sag das nicht, Liebster! dir traut man, dir muß man trauen!... Wenn ich erst dein bin, dann... du verläßt mich dann ganz gewiß nicht mehr. *Wie außer sich.* Ich beschwöre dich! geh nicht fort. Verlaß mich doch nur nicht. Geh — nicht fort, Alfred! Alles ist aus, alles, wenn du einmal ohne mich von hier fortgehst.

LOTH. Merkwürdig bist du doch!... Und da willst du nicht mißtrauisch sein?... Oder sie plagen dich, martern dich hier ganz entsetzlich, mehr als ich mir je... Jedenfalls gehen wir aber noch diese Nacht. Ich bin bereit. Sobald du willst, gehen wir also.

HELENE, *gleichsam mit aufjauchzendem Dank ihm um den*

Hals fallend. Geliebter! *Sie küßt ihn wie rasend und eilt
schnell davon. Doktor Schimmelpfennig tritt durch die Mitte
ein; er bemerkt noch, wie Helene in der Wintergartentür
verschwindet.*

DOKTOR SCHIMMELPFENNIG. Wer war das? — Ach so! *In sich
hinein.* Armes Ding! *Er läßt sich mit einem Seufzer am
Tisch nieder, findet die alte Zigarre, wirft sie beiseite, entnimmt dem Etui eine frische Zigarre und fängt an, sie an der
Tischkante zu klopfen, wobei er nachdenklich darüber hin-
ausstarrt.*

LOTH, *der ihm zuschaut.* Genauso pflegtest du vor acht Jahren
jede Zigarre abzuklopfen, eh du zu rauchen anfingst.

DOKTOR SCHIMMELPFENNIG. Möglich —! *Als er mit Anrauchen
fertig ist.* Hör mal, du!

LOTH. Ja, was denn?

DOKTOR SCHIMMELPFENNIG. Du wirst doch — sobald die Geschichte oben vorüber ist, mit zu mir kommen?

LOTH. Das geht wirklich nicht! Leider.

DOKTOR SCHIMMELPFENNIG. Man hat so das Bedürfnis, sich
mal wieder gründlich von der Leber weg zu äußern.

LOTH. Das hab' ich genauso wie du. Aber gerade daraus
kannst du sehen, daß es heut absolut nicht in meiner Macht
steht, mit dir...

DOKTOR SCHIMMELPFENNIG. Wenn ich dir nun aber ausdrücklich und — gewissermaßen feierlich erkläre: es ist eine
bestimmte, äußerst wichtige Angelegenheit, die ich mit dir
noch diese Nacht besprechen möchte... besprechen muß
sogar, Loth!

LOTH. Kurios! Für blutigen Ernst soll ich doch das nicht etwa
hinnehmen?! doch wohl nicht? — So viel Jahre hätt'st du
damit gewartet, und nun hätte es nicht einen Tag mehr
Zeit damit? — Du kannst dir doch wohl denken, daß ich dir
keine Flausen vormache.

DOKTOR SCHIMMELPFENNIG. Also hat's doch seine Richtigkeit!
Er steht auf und geht umher.

LOTH. Was hat seine Richtigkeit?

DOKTOR SCHIMMELPFENNIG, *vor Loth stillstehend, mit einem
geraden Blick in seine Augen.* Es ist also wirklich etwas im
Gange zwischen dir und Helene Krause?

LOTH. Ich? — Wer hat dir denn...?

DOKTOR SCHIMMELPFENNIG. Wie bist du nur in diese Familie...?

LOTH. Woher — weißt du denn das, Mensch?

DOKTOR SCHIMMELPFENNIG. Das war ja doch nicht schwer zu erraten.

LOTH. Na, dann halt um Gottes willen den Mund, daß nicht...

DOKTOR SCHIMMELPFENNIG. Ihr seid also richtig verlobt?!

LOTH. Wie man's nimmt. Jedenfalls sind wir beide einig.

DOKTOR SCHIMMELPFENNIG. Hm —! wie bist du denn hier hereingeraten, gerade in diese Familie?

LOTH. Hoffmann ist ja doch mein Schulfreund. Er war auch Mitglied — auswärtiges allerdings — Mitglied meines Kolonial-Vereins.

DOKTOR SCHIMMELPFENNIG. Von der Sache hörte ich in Zürich. — Also mit dir ist er umgegangen! Auf diese Weise wird mir der traurige Zwitter erklärlich.

LOTH. Ein Zwitter ist er allerdings.

DOKTOR SCHIMMELPFENNIG. Eigentlich nicht mal das. — Ehrlich, du! — Ist das wirklich dein Ernst? — die Geschichte mit der Krause?

LOTH. Na, selbstverständlich! — Zweifelst du daran? Du wirst mich doch nicht etwa für einen Schuft...

DOKTOR SCHIMMELPFENNIG. Schon gut! Ereifere dich nur nicht. Hätt'st dich ja verändert haben können während der langen Zeit. Warum nicht? Wär auch gar kein Nachteil! 'n bissel Humor könnte dir gar nicht schaden! Ich seh' nicht ein, warum man alles so verflucht ernsthaft nehmen sollte.

LOTH. Ernst ist es mir mehr als je. *Er erhebt sich und geht, immer ein wenig zurück, neben Schimmelpfennig her.* Du kannst es ja nicht wissen, auch sagen kann ich dir's nicht mal, was dieses Verhältnis für mich bedeutet.

DOKTOR SCHIMMELPFENNIG. Hm!

LOTH. Kerl, du hast keine Idee, was das für ein Zustand ist. Man kennt ihn nicht, wenn man sich danach sehnt. Kennte man ihn, dann, dann müßte man geradezu unsinnig werden vor Sehnsucht.

DOKTOR SCHIMMELPFENNIG. Das begreife der Teufel, wie ihr zu dieser unsinnigen Sehnsucht kommt.

LOTH. Du bist auch noch nicht sicher davor.

DOKTOR SCHIMMELPFENNIG. Das möcht' ich mal sehen.

LOTH. Du red'st wie der Blinde von der Farbe.

DOKTOR SCHIMMELPFENNIG. Was ich mir für das bißchen Rausch koofe! Lächerlich. Darauf eine lebenslängliche Ehe zu bauen... da baut man noch nicht mal so sicher als auf 'n Sandhaufen.

LOTH. Rausch — Rausch — wer von einem Rausch redet, — na! der kennt die Sache eben nicht. 'n Rausch ist flüchtig. Solche Räusche hab' ich schon gehabt, ich geb's zu. Aber das ist was ganz anderes.

DOKTOR SCHIMMELPFENNIG. Hm!

LOTH. Ich bin dabei vollständig nüchtern. Denkst du, daß ich meine Liebste so — na, wie soll ich sagen?! — so mit 'ner — na, wie soll ich sagen?! mit 'ner großen Glorie sehe? Gar nicht! — Sie hat Fehler, ist auch nicht besonders schön, wenigstens — na, häßlich ist sie auch gerade nicht. Ganz objektiv geurteilt, ich — das ist ja schließlich Geschmackssache — ich hab' so'n hübsches Mädel noch nicht gesehen. Also, Rausch — Unsinn! Ich bin ja so nüchtern wie nur möglich. Aber siehst du! das ist eben das Merkwürdige! ich kann mich gar nicht mehr ohne sie denken — das kommt mir so vor wie 'ne Legierung, weißt du, wie wenn zwei Metalle so recht innig legiert sind, daß man gar nicht mehr sagen kann, das ist das, das ist das. Und alles so furchtbar selbstverständlich — kurzum, ich quatsche vielleicht Unsinn — oder was ich sage, ist vielleicht in deinen Augen Unsinn, aber soviel steht fest: wer das nicht kennt, ist 'n erbärmlicher Frosch. Und so 'n Frosch war ich bisher — und so 'n Jammerfrosch bist du noch.

DOKTOR SCHIMMELPFENNIG. Das ist ja richtig der ganze Symptomen-Komplex. — Daß ihr Kerls doch immer bis über die Ohren in Dinge hineingeratet, die ihr theoretisch längst verworfen habt, wie zum Beispiel du die Ehe. Solange ich dich kenne, laborierst du an dieser unglücklichen Ehemanie.

LOTH. Es ist Trieb bei mir, geradezu Trieb. Weiß Gott! mag ich mich wenden, wie ich will.

DOKTOR SCHIMMELPFENNIG. Man kann schließlich auch einen Trieb niederkämpfen.

LOTH. Ja, wenn's 'n Zweck hat, warum nicht?

DOKTOR SCHIMMELPFENNIG. Hat 's Heiraten etwa Zweck?

LOTH. Das will ich meinen. Das hat Zweck! Bei mir hat es Zweck. Du weißt nicht, wie ich mich durchgefressen hab' bis hierher. Ich mag nicht sentimental werden. Ich hab's auch vielleicht nicht so gefühlt, es ist mir vielleicht nicht ganz so klar bewußt geworden wie jetzt, daß ich in meinem Streben etwas entsetzlich Ödes, gleichsam Maschinen-mäßiges angenommen hatte. Kein Geist, kein Tempera-ment, kein Leben, ja wer weiß, war noch Glauben in mir? Das alles kommt seit... seit heut wieder in mich gezogen. So merkwürdig voll, so ursprünglich, so fröhlich... Unsinn, du kapierst's ja doch nicht.

DOKTOR SCHIMMELPFENNIG. Was ihr da alles nötig habt, um flott zu bleiben, Glaube, Liebe, Hoffnung. Für mich ist das Kram. Es ist eine ganz simple Sache: die Menschheit liegt in der Agonie, und unsereiner macht ihr mit Narkoticis die Sache so erträglich als möglich.

LOTH. Dein neuester Standpunkt?

DOKTOR SCHIMMELPFENNIG. Schon fünf bis sechs Jahre alt und immer derselbe.

LOTH. Gratuliere!

DOKTOR SCHIMMELPFENNIG. Danke!

Eine lange Pause.

DOKTOR SCHIMMELPFENNIG, *nach einigen unruhigen An-läufen.* Die Geschichte ist leider die: ich halte mich für verpflichtet ... ich schulde dir unbedingt eine Aufklärung. Du wirst Helene Krause, glaub' ich, nicht heiraten können.

LOTH, *kalt.* So, glaubst du?

DOKTOR SCHIMMELPFENNIG. Ja, ich bin der Meinung. Es sind da Hindernisse vorhanden, die gerade dir...

LOTH. Hör mal, du! mach dir darüber um Gottes willen keine Skrupel. Die Verhältnisse liegen auch gar nicht mal so kompliziert, sind im Grunde sogar furchtbar einfach.

DOKTOR SCHIMMELPFENNIG. Einfach furchtbar solltest du eher sagen.

LOTH. Ich meine, was die Hindernisse anbetrifft.

DOKTOR SCHIMMELPFENNIG. Ich auch zum Teil. Aber auch überhaupt! Ich kann mir nicht denken, daß du diese Ver-hältnisse hier kennen solltest.

LOTH. Ich kenne sie aber doch ziemlich genau.

DOKTOR SCHIMMELPFENNIG. Dann mußt du notwendiger-
weise deine Grundsätze geändert haben.

LOTH. Bitte, Schimmel, drück dich etwas deutlicher aus!

DOKTOR SCHIMMELPFENNIG. Du mußt unbedingt deine
Hauptforderung in bezug auf die Ehe fallengelassen haben,
obgleich du vorhin durchblicken ließt, es käme dir nach
wie vor darauf an, ein an Leib und Seele gesundes Geschlecht in die Welt zu setzen.

LOTH. Fallengelassen ... fallengelassen? Wie sollte ich denn
das...

DOKTOR SCHIMMELPFENNIG. Dann bleibt nichts übrig ... dann
kennst du eben doch die Verhältnisse nicht. Dann weißt du
zum Beispiel nicht, daß Hoffmann einen Sohn hatte, der
mit drei Jahren bereits am Alkoholismus zugrunde ging.

LOTH. Wa... was — sagst du?

DOKTOR SCHIMMELPFENNIG. 's tut mir leid, Loth, aber sagen
muß ich dir's doch, du kannst ja dann noch machen, was du
willst. Die Sache war kein Spaß. Sie waren gerade wie jetzt
zum Besuch hier. Sie ließen mich holen, eine halbe Stunde
zu spät. Der kleine Kerl hatte längst verblutet. — *Loth mit
den Zeichen tiefer, furchtbarer Erschütterung an des Dok-
tors Munde hängend. — Doktor Schimmelpfennig.* Nach der
Essigflasche hatte das dumme Kerlchen gelangt in der Meinung, sein geliebter Fusel sei darin. Die Flasche war her-
unter- und das Kind in die Scherben gefallen. Hier unten,
siehst du, die Vena saphena, die hatte es sich vollständig
durchschnitten.

LOTH. W...w...essen Kind, sagst du...?

DOKTOR SCHIMMELPFENNIG. Hoffmanns und ebenderselben
Frau Kind, die da oben wieder ... und auch die trinkt,
trinkt bis zur Besinnungslosigkeit, trinkt, soviel sie bekommen kann.

LOTH. Also von Hoffmann... Hoffmann geht es nicht aus?!

DOKTOR SCHIMMELPFENNIG. Bewahre! Das ist tragisch an dem
Menschen, er leidet darunter, soviel er überhaupt leiden
kann. Im übrigen hat er's gewußt, daß er in eine Potatoren-
familie hineinkam. Der Bauer nämlich kommt überhaupt
gar nicht mehr aus dem Wirtshaus.

LOTH. Dann freilich — begreife ich manches — nein! Alles
begreife ich — alles. *Nach einem dumpfen Schweigen.* Dann

ist ihr Leben hier... Helenens Leben — ein... ein — wie
soll ich sagen?! mir fehlt der Ausdruck dafür — .... nicht?

DOKTOR SCHIMMELPFENNIG. Horrend geradezu! Das kann ich
beurteilen. Daß du bei ihr hängenbliebst, war mir auch von
Anfang an sehr begreiflich. Aber wie ges...

LOTH. Schon gut! — verstehe... Tut denn...? könnte man
nicht vielleicht... vielleicht könnte man Hoffmann bewegen, etwas... etwas zu tun? Könntest du nicht vielleicht
— ihn zu etwas bewegen? Man müßte sie fortbringen aus
dieser Sumpfluft.

DOKTOR SCHIMMELPFENNIG. Hoffmann?

LOTH. Ja, Hoffmann.

DOKTOR SCHIMMELPFENNIG. Du kennst ihn schlecht... Ich
glaube zwar nicht, daß er sie schon verdorben hat. Aber
ihren Ruf hat er sicherlich jetzt schon verdorben.

LOTH, *aufbrausend.* Wenn das ist: ich schlag' ihn... Glaubst
du wirklich...? hältst du Hoffmann wirklich für fähig...?

DOKTOR SCHIMMELPFENNIG. Zu allem, zu allem halte ich ihn
fähig, wenn für ihn ein Vergnügen dabei herausspringt.

LOTH. Dann ist sie — das keuscheste Geschöpf, was es gibt...
*Loth nimmt langsam Hut und Stock und hängt sich ein
Täschchen um.*

DOKTOR SCHIMMELPFENNIG. Was gedenkst du zu tun, Loth?

LOTH. Nicht begegnen...!

DOKTOR SCHIMMELPFENNIG. Du bist also entschlossen?

LOTH. Wozu entschlossen?

DOKTOR SCHIMMELPFENNIG. Euer Verhältnis aufzulösen.

LOTH. Wie sollt' ich wohl dazu nicht entschlossen sein?

DOKTOR SCHIMMELPFENNIG. Ich kann dir als Arzt noch sagen,
daß Fälle bekannt sind, wo solche vererbte Übel unterdrückt worden sind, und du würdest ja gewiß deinen Kin-
dern eine rationelle Erziehung geben.

LOTH. Es mögen solche Fälle vorkommen.

DOKTOR SCHIMMELPFENNIG. Und die Wahrscheinlichkeit ist
vielleicht nicht so gering, daß...

LOTH. Das kann uns nichts helfen, Schimmel. So steht es:
es gibt drei Möglichkeiten! Entweder ich heirate sie, und
dann... nein, dieser Ausweg existiert überhaupt nicht.
Oder — die bewußte Kugel. Na ja, dann hätte man wenigstens Ruhe. Aber nein! So weit sind wir noch nicht, so

was kann man sich einstweilen noch nicht leisten — also: leben! kämpfen! — Weiter, immer weiter. *Sein Blick fällt auf den Tisch, er bemerkt das von Eduard zurechtgestellte Schreibzeug, setzt sich, ergreift die Feder, zaudert und sagt:* Oder am Ende...?

DOKTOR SCHIMMELPFENNIG. Ich verspreche dir, ihr die Lage so deutlich als möglich vorzustellen

LOTH. Ja, ja! — nur eben... ich kann nicht anders. *Er schreibt, adressiert und kuvertiert. Er steht auf und reicht Schimmelpfennig die Hand.* Im übrigen verlasse ich mich auf dich. —

DOKTOR SCHIMMELPFENNIG. Du gehst zu mir, wie? Mein Kutscher soll dich zu mir fahren.

LOTH. Sag mal, sollte man denn nicht wenigstens versuchen — sie aus den Händen dieses... dieses Menschen zu ziehen?.. Auf diese Weise wird sie doch unfehlbar noch seine Beute.

DOKTOR SCHIMMELPFENNIG. Guter, bedauernswürdiger Kerl! Soll ich dir was raten? Nimm ihr nicht das... wenige, was du ihr noch übrigläßt.

LOTH, *tiefer Seufzer.* Qual über... hast vielleicht — recht — jawohl, unbedingt sogar.

Man hört jemand hastig die Treppe herunterkommen. Im nächsten Augenblick stürzt Hoffmann herein.

HOFFMANN. Herr Doktor, ich bitte Sie um Gottes willen ... sie ist ohnmächtig ... die Wehen setzen aus ... wollen Sie nicht endlich...

DOKTOR SCHIMMELPFENNIG. Ich komme hinauf. *Zu Loth bedeutungsvoll:* Auf Wiedersehen! *Zu Hoffmann, der ihm folgen will:* Herr Hoffmann, ich muß Sie bitten... eine Ablenkung oder Störung könnte verhängnisvoll ... am liebsten wäre es mir, Sie blieben hier unten.

HOFFMANN. Sie verlangen sehr viel, aber ... na!

DOKTOR SCHIMMELPFENNIG. Nicht mehr als billig. *Ab. — Hoffmann bleibt zurück.*

HOFFMANN *bemerkt Loth.* Ich zittere, die Aufregung steckt mir in allen Gliedern. Sag mal, du willst fort?

LOTH. Ja.

HOFFMANN. Jetzt mitten in der Nacht?

LOTH. Nur bis zu Schimmelpfennig.

HOFFMANN. Ach so! Nun... wie die Verhältnisse sich ge-

staltet haben, ist es am Ende kein Vergnügen mehr bei
uns... Also leb recht...

LOTH. Ich danke für die Gastfreundschaft.

HOFFMANN. Und mit deinem Plan, wie steht es da?

LOTH. Plan?

HOFFMANN. Deine Arbeit, deine volkswirtschaftliche Arbeit
über unsern Distrikt, meine ich. Ich muß dir sagen ... ich
möchte dich sogar als Freund inständig und herzlich
bitten...

LOTH. Beunruhige dich nicht weiter. Morgen schon bin ich
über alle Berge.

HOFFMANN. Das ist wirklich — *Unterbricht sich.*

LOTH. Schön von dir, wollt'st du wohl sagen?

HOFFMANN. Das heißt — ja — in gewisser Hinsicht; übrigens
du entschuldigst mich, ich bin so entsetzlich aufgeregt.
Zähle auf mich! die alten Freunde sind immer noch die
besten. Adieu, Adieu.

Ab durch die Mitte.

LOTH *wendet sich, bevor er zur Tür hinaustritt, noch einmal
nach rückwärts und nimmt mit den Augen noch einmal den
ganzen Raum in sein Gedächtnis auf. Hierauf zu sich:* Da
könnt' ich ja nun wohl gehen. *Nach einem letzten Blick ab.
Das Zimmer bleibt für einige Augenblicke leer. Man vernimmt gedämpfte Rufe und das Geräusch von Schritten,
dann erscheint Hoffmann. Er zieht, sobald er die Tür hinter
sich geschlossen hat, unverhältnismäßig ruhig sein Notizbuch und rechnet etwas; hierbei unterbricht er sich und
lauscht, wird unruhig, schreitet zur Tür und lauscht wieder.
Plötzlich rennt jemand die Treppe herunter, und herein
stürzt Helene.*

HELENE, *noch außen.* Schwager! *In der Tür.* Schwager!

HOFFMANN. Was ist denn — los?

HELENE. Mach dich gefaßt —, totgeboren!

HOFFMANN. Jesus Christus! *Er stürzt davon.*

Helene allein.

Sie sieht sich um und ruft leise: Alfred! Alfred! *und dann, als
sie keine Antwort erhält, in schneller Folge:* Alfred! Alfred!
*Dabei ist sie bis zur Tür des Wintergartens geeilt, durch die
sie spähend blickt. Dann ab in den Wintergarten. Nach einer
Weile erscheint sie wieder.* Alfred! *Immer unruhiger wer-*

dend, am Fenster, durch das sie hinausblickt: Alfred! *Sie öffnet das Fenster und steigt auf einen davorstehenden Stuhl. In diesem Augenblick klingt deutlich vom Hofe herein das Geschrei des betrunkenen, aus dem Wirtshaus heimkehrenden Bauern, ihres Vaters:* Dohie hä! biin iich nee a hibscher Moan? Hoa iich nee a hibsch Weib? Hoa iich nee a poar hibsche Tächter dohie hä? *Helene stößt einen kurzen Schrei aus und rennt wie gejagt nach der Mitteltür. Von dort aus entdeckt sie den Brief, welchen Loth auf dem Tisch zurück-gelassen, sie stürzt sich darauf, reißt ihn auf und durch-fliegt ihn, einzelne Worte aus seinem Inhalt laut hervor-stoßend:* »Unübersteiglich!« ... »Niemals wieder!« *Sie läßt den Brief fallen, wankt.* Zu Ende! *Rafft sich auf, hält sich den Kopf mit beiden Händen, kurz und scharf schreiend:* Zu Ende! *Stürzt ab durch die Mitte. Der Bauer draußen, schon aus geringerer Entfernung:* Dohie hä! iis ernt's Gittla ne meine? Hoa iich ne a hibsch Weib? Bin iich nee a hibscher Moan? *Helene, immer noch suchend, wie eine halb Irrsinnige aus dem Wintergarten hereinkommend, trifft auf Eduard, der etwas aus Hoffmanns Zimmer zu holen geht. Sie redet ihn an.* Eduard! *Er antwortet:* Gnädiges Fräulein? *Darauf sie:* Ich möchte ... möchte den Herrn Doktor Loth... *Eduard antwortet:* Herr Doktor Loth sind in des Herrn Doktor Schimmelpfennigs Wagen fortgefahren! *Damit verschwindet er im Zimmer Hoffmanns.* Wahr! *stößt Helene hervor und hat einen Augenblick Mühe, aufrecht zu stehen. Im nächsten durchfährt sie eine verzweifelte Energie. Sie rennt nach dem Vordergrunde und ergreift den Hirsch-fänger samt Gehänge, der an dem Hirschgeweih über dem Sofa befestigt ist. Sie verbirgt ihn und hält sich still im dunklen Vordergrund, bis Eduard, aus Hoffmanns Zimmer kommend, zur Mitteltür hinaus ist. Die Stimme des Bauern, immer deutlicher:* Dohie hä, biin iich nee a hibscher Moan? *Auf diese Laute, wie auf ein Signal hin, springt Helene auf und verschwindet ihrerseits in Hoffmanns Zimmer. Das Hauptzimmer ist leer, und man hört fortgesetzt die Stimme des Bauern:* Dohie hä, hoa iich nee die schinsten Zähne, hä? Hoa iich ne a hibsch Gittla? *Miele kommt durch die Mitteltür. Sie blickt suchend umher und ruft:* Freilein Helene! *und wieder:* Freilein Helene! *Dazwischen die*

Stimme des Bauern: 's Gald iis meine! *Jetzt ist Miele ohne
weiteres Zögern in Hoffmanns Zimmer verschwunden,
dessen Türe sie offenläßt. Im nächsten Augenblick stürzt
sie heraus mit den Zeichen eines wahnsinnigen Schrecks;
schreiend dreht sie sich zwei-, dreimal um sich selber,
schreiend jagt sie durch die Mitteltür. Ihr ununterbrochenes
Schreien, mit der Entfernung immer schwächer werdend,
ist noch einige weitere Sekunden vernehmlich. Man hört
nun die schwere Haustüre aufgehen und dröhnend ins
Schloß fallen, das Schrittegeräusch des im Hausflur herum-
taumelnden Bauern, schließlich eine rohe, näselnde, lallende
Trinkerstimme ganz aus der Nähe durch den Raum gellen:*
Dohie hä! Hoa iich nee a poar hibsche Tächter!

NACHWORT

Mit dem Paukenschlag eines Theaterskandals ist Gerhart Hauptmann in die Geschichte der deutschen Literatur eingetreten. Am 20. Oktober 1889, mittags um zwölf Uhr, saßen die Mitglieder des Vereins »Freie Bühne« erwartungsvoll im Berliner Lessingtheater. Gleich sollte sich der Vorhang teilen und den Blick freigeben auf die wüsten Vorgänge, die sich in der Wohnstube und auf dem Hof des Bauern Krause und seiner Sippe in einem niederschlesischen Kohlendorf abspielen würden. Viele der Besucher kannten den Text. Im August bereits war das soziale Drama »Vor Sonnenaufgang« von Gerhart Hauptmann im Verlag C. F. Conrad erschienen. Man las das Stück und war teils erfreut, teils entsetzt. Es gab Gewisper, Gerüchte und Diskussionen, Zeitungsartikel pro und contra. Briefe und Briefabschriften gingen von Hand zu Hand. Man wußte: der sonst so besonnene und zurückhaltende Theodor Fontane hatte sich in Briefen an den Verleger, an den Autor und an den Leiter der »Freien Bühne« sehr positiv über das Stück und für eine Aufführung ausgesprochen. Nun also war es soweit. Man erwartete etwas Sensationelles. Man war gerüstet, die Sensation vom Zuschauerraum aus in Szene zu setzen.

Ein Freund Gerhart Hauptmanns aus frühen Tagen, Adalbert von Hanstein, berichtet darüber:

»Die aufgeregten Jüngstdeutschen zogen ins Theater hinein wie in eine Schlacht. Hier galt es ihnen jetzt, mit Händen und Füßen der naturalistischen Kunstanschauung den Sieg zu erklatschen und zu ertrampeln. Aber auch die Schar der Gegner war kampfbereit. Ja, einige derselben hatten sich im wirklichen Sinne des Wortes ausgerüstet, nämlich mit sogenannten Radauflöten. Der bekannte Arzt und Journalist Dr. Kastan brachte sogar in der Tasche verborgen eine richtige Geburtszange mit, um sie im geeigneten Moment diesmal zu einem anderen als ärztlichen Zweck gebrauchen zu können. Zu allgemeiner Enttäuschung ging der erste Akt

friedlich vorüber. Die Familienszene hatte ganz gut gewirkt, Loths lange Reden waren stark gekürzt, und über
seine ungeschickte Redensart des häufig wiederholten ›Von
was sprechen wir doch?‹ hatte man auf beiden Parteien ge-
lächelt, und Helenens zum Schluß seelenvoll hervorgepreßtes
›Oh, nicht fort! Geh nicht fort!‹ hatte sogar ergriffen. Die
Gegner verhielten sich schweigend und ließen den Autor
dreimal vor seinen klatschenden Anhängern erscheinen.
Aber das genügte diesen nicht, und so lärmten sie denn solange, bis sie den Widerspruch geweckt hatten. Und nun gab
sich alt und jung und rechts und links dem jungenhaften
Vergnügen hin, mit Radauflöten und Stiefelabsätzen den
neuen Mann zu empfangen, wenn er auf der Bühne erschien.
Von Akt zu Akt wuchs der Lärm. Schließlich lachte und
jubelte, höhnte und trampelte man mitten in die Unter-
haltungen der Schauspieler hinein, und als der Höhepunkt
des Stückes sich nahte, erstieg auch das Toben seinen Gipfel.
Hier kam die Stelle, wo auf der Bühne nach einer Hebamme
gerufen wurde, und hier zog jener Arzt sein Instrument aus
der Tasche, um es auf die Bühne zu werfen. Rasender Tu-
mult erhob sich. Einige wollten ihn aus dem Theater weisen,
andere traten für ihn ein. Man spielte das Stück mühsam zu
Ende, lachte den Helden des Dramas aus und jubelte doch
wieder den Verfasser hervor, um zu zischen. — Natürlich
hatte das alles zur Folge, daß von dieser Aufführung in
Berlin wochenlang gesprochen wurde.«
In den Literaturgeschichten wird noch heute von dieser Aufführung gesprochen. Durch das Drama »Vor Sonnenaufgang«
gewann Deutschland Anschluß an eine Bewegung der Welt-
literatur, die in Frankreich, Skandinavien und Rußland mit
Zola, Ibsen und Tolstoi schon einige Jahre oder Jahrzehnte
früher begonnen hatte. Der junge Gerhart Hauptmann,
Schüler und Kunstschüler in Breslau, hatte zwar unter dem
Einfluß altgermanischer Dichtung und neugermanischen
Epigonentums (Felix Dahn, Wilhelm Jordan) noch 1881
Zolas »Nana« schroff abgelehnt, im Winter 1884/85 jedoch,
als er Vorlesungen an der Berliner Universität hörte und
Schauspielunterricht bei Alexander Heßler (dem Urbild des
Hassenreuter in den »Ratten«) nahm, sich nach einer Auf-
führung von Ibsens »Nora« im Deutschen Theater begeistert

geäußert. Ibsen und mit ihm der in allen fortschrittlichen
Geistern der Zeit lebendige Wille zu einer wahrhaftigen und
wirklichkeitsgetreuen Darstellung des Menschen in einer
Gesellschaft, die an Haupt und Gliedern reformiert werden
sollte, befreite den jungen Poeten aus den Fesseln des Epigonentums, machte ihm Mut zu seinem eigenen Ausdruck.
»Damals schmolz eine Kruste von Eis, unter der die deutsche
Dichtung begraben lag«, sagte der fünfzigjährige Gerhart
Hauptmann bei einem Bankett, das ihm zu Ehren in Berlin
gegeben wurde. Und nicht ohne Stolz fügte er hinzu: »Ich
erinnere mich daran, daß ich eines denkwürdigen Tages mit
dem alten Henrik Ibsen wie mit einem wandelnden Turm
die Friedrichstraße herunterging. Er hatte mein erstes
Stück gelesen und sagte mir — ja, was sagte er mir? — nichts,
als daß es tapfer und mutig sei.«
Die geistige Tapferkeit und eine ins Weltliche gewandte
Glaubenskraft wurden gestärkt durch Gruppen: um Michael
Georg Conrad in München und seine Zeitschrift »Die Gesellschaft« hatte sich eine solche Gruppe gesammelt, später
auch in Berlin in dem literarischen Verein »Durch« und seit
dem Frühjahr 1889 in der »Freien Bühne«, die nach dem
Vorbild von Antoines »Théatre Libre« in Paris Aufführungen
moderner Dramen, ohne Behinderung durch die Zensur,
vorbereitete. Zum Vorstand gehörten Otto Brahm und der
Verleger Samuel Fischer. Auch der Friedrichshagener Kreis
wäre zu erwähnen.
Wichtiger für die Entwicklung Gerhart Hauptmanns waren
jedoch nicht diese Gruppen, die damals in der Öffentlichkeit
viel von sich reden machten und die heute nur noch für
Soziologen und Literarhistoriker von Interesse sind, sondern
ein engerer Freundeskreis, der sich um Carl Hauptmann,
den älteren Bruder Gerharts, schon in Breslau gebildet hatte.
Man gab sich unter Führung von Alfred Plötz zuerst pan-
germanischen, später utopisch-sozialistischen Ideen hin. Das
war mehr als Schwärmerei. Man meinte es ernst, orientierte
sich an Etienne Cabet, der 1848 in den Vereinigten Staaten
Gemeinschaftssiedlungen auf kommunistischer Grundlage,
sogenannte Ikarier-Kolonien gegründet und bis zu seinem
Tode 1856 einigermaßen zusammengehalten hatte. Etwas
Ähnliches wollte der Kreis um die Brüder Hauptmann

verwirklichen. Plötz entwarf genaue Pläne für das neue Ge-
meinwesen, das in den USA entstehen sollte. Er meldete bei
der Polizei eine gesetzmäßige Genossenschaft an: die »Gesellschaft Pacific« (sie wird in »Vor Sonnenaufgang« als
»Vanvouver Island« erwähnt, auch von »Ikariern« ist die
Rede). Man sammelte Geld (nach Angaben von Plötz lagen
nicht weniger als 600 000 Mark bereit). Zunächst aber wollte
man den Zustand der noch bestehenden Ikarier-Kolonien in
Iowa prüfen. Im Frühjahr 1884 fuhr Plötz nach Amerika.
Er kehrte ein halbes Jahr später völlig ernüchtert zurück.
»Im Ausbau dieser Kolonialutopie hat sich unser Freund-
schaftsbedürfnis und Freundschaftsglück ausgerast«, urteilt
Gerhart Hauptmann in seiner Autobiographie »Das Aben-
teuer meiner Jugend«.
Alfred Plötz, der später Medizin studierte und Schriften über
Rassenhygiene veröffentlichte, gab das Modell ab für die
Figur des Alfred Loth in »Vor Sonnenaufgang« (auch andere
Gestalten in Hauptmanns Werken tragen Züge von Alfred
Plötz, so Alf im »Helios«-Fragment und Dr. Schmidt im
Roman »Atlantis«). Plötz, der unter dem Einfluß Forels in
Zürich Abstinenzler wurde, gewann als eine zu Strenge, ja
Fanatismus neigende Gestalt dieser Zeit, die sich einigen
neuen Bestrebungen mit ebensoviel Leidenschaft hingab
wie sie andere bekämpfte, eine besondere Bedeutung für
Gerhart Hauptmann. Ohne die Figur des Loth, ohne die
sozialpolitische, sozialrevolutionäre Note hätte »Vor Sonnenaufgang« bei der Uraufführung nicht so stark gewirkt.
Theodor Fontane, der mit seiner Kritik des Dramas in der
Vossischen Zeitung noch immer den besten, weil anschau-
lichsten Zugang zum Verständnis bietet, erzählt auf knapp
drei Seiten, was in den fünf Akten geschieht. Er schildert die
»Schnaps- und Sündensippe« der niederschlesischen Bauernfamilie Krause und ihr »auf den Vornehmheitsschein ge-
stelltes Haus«, das in Wahrheit »ein furchtbares Haus« ist,
»ein Haus mit einem Gespenst in jedem Winkel«. Erstaun-
lich unvoreingenommen berichtet Fontane von den zum
Teil sehr grellen Szenen. Er sah sie jedoch nicht isoliert,
sondern in Zusammenhang mit der Industrialisierung und
ihren Folgen. »Überall im Lande«, schreibt er, »haben wir
jetzt Gegenden, wo Bauern und mitunter bloße Kätner über

Nacht reich geworden sind, und in eine solche Gegend führt
uns das Stück.«

Es gab nicht nur in Schlesien und an Rhein und Ruhr, es gab
auch, wie mit Fontane alle Premierenbesucher der »Freien
Bühne« wußten, in und rings um Berlin sogenannte Millio-
nenbauern. Sie hatten ihren Landbesitz verkauft, und einige
von ihnen waren, aus dem Gleichmaß der alten, harten
Arbeitsordnung gerissen, ähnlich wie die Bauernfamilie
Krause in seelische Bedrängnis und auf Abwege geraten.
Aus genauer Kenntnis des (schlesischen) Milieus und ihrer
Menschen hatte der junge Gerhart Hauptmann in seinem
Drama individuell geprägte und dennoch typische Vertreter
einer gärenden Übergangszeit vor die Augen der Leser und
Zuschauer gestellt.

Kaum noch erkennbar sind die Reste der alten dörflichen
Lebensform. Da gibt es den Arbeitsmann Beibst, der die
Sense dengelt (und der schon zwei Söhne im Kohlenschacht
unter der ehemaligen Feldmark verloren hat). Da gibt es
Stallmägde, einen Kuhjungen, ein Hausmädchen und einen
sandfahrenden Dorftrottel, der Baer heißt und Hopslabaer
genannt wird, weil er auf Wunsch Luftsprünge macht.
Neben diesen fast nur mimisch agierenden Nebenfiguren,
die in knappen Szenen einprägsam-plastisch gezeichnet sind,
steht der von der Trunksucht ruinierte alte Bauer Krause,
seine sehr viel jüngere zweite Frau, eine haltlos-hartherzige,
ordinär-protzende Person samt ihrem Anhang, ihrem stot-
ternden Neffen und Galan, dem lerchenschießenden Nachbarssohn Wilhelm Kahl und ihrer liebedienerischen, in jeder
Beziehung schief gewachsenen Gesellschafterin, Frau Spiller.
Sie alle sind trotz ihrer zum Teil lärmenden Reden und tol-
patschigen Aktionen im Grunde nur einflußlose Randge-
stalten.

Der eigentliche Kampf, der durch die Zeitprobleme bestimmte Konflikt spielt sich zwischen zwei Personen ab: dem
Sozialrevolutionär und Lebensreformer Alfred Loth, der nach
Witzdorf mit seinen durch Kohlefunde reich gewordenen
Kleinbauern gekommen ist, um die Lage der Grubenarbeiter
zu studieren, und seinem Jugendfreund Hoffmann, der die
älteste Tochter Martha aus erster Ehe des Bauern Krause ge-
heiratet hat. Dieser Bauingenieur Hoffmann, der das Dorf

samt Kohlengruben beherrscht, ist ein Typ, wie ihn die
Wirtschaftswunderzeit nach dem deutsch-französischen Krieg
1870/71 überall dort hervorgebracht hatte, wo Geschäfte zu
machen waren. In seiner Jugend war er Idealist wie sein
Freund Loth. Jetzt sagt er zu dem sozialistischen Agitator und
Menschheitsbeglücker: »Ich bin der letzte, der gewisse —
leider, leider mehr als berechtigte Ansprüche der ausgebeuteten unterdrückten Menge nicht gelten läßt. — Ja, lächle
nur, ich gehe sogar soweit, zu bekennen, daß es nur eine
Partei gibt, die Ideale hat, und das ist dieselbe, der Du angehörst! ... Nur — wie gesagt — langsam, langsam — nichts
überstürzen.« In dem Kampf zwischen Hoffmann und Loth
siegt am Ende der Typ, der auch in der damaligen Gesellschaft siegte: der geschäftstüchtige Opportunist.
Hauptmann hat mit durchdringender Schärfe die verlogene
Bonhomie des Bauingenieurs enthüllt. Nicht minder scho-
nungslos aber zeigt er uns die Fragwürdigkeit des Mensch-
typs, der gegen ihn antritt und der nun in doppelter Weise
versagt: Alfred Loth. Seit der Uraufführung von »Vor
Sonnenaufgang« ist Loth die umstrittenste und meistdisku-
tierte Figur. Man hat ihn verdammt und man hat ihn ver-
teidigt oder doch gelten lassen. In der Verdammung stimmt
das Urteil von Wilhelm Bölsche aus dem Jahre 1889 mit dem
des Theaterkritikers Albert Schulze-Vellinghausen aus dem
Jahre 1954 überein. Bölsche schrieb: wenn Loths Konsequenz
die höchste Ethik der Menschheit würde, kämen wir dahin,
»schwächliche Kinder, kranke Menschen, alles, was irgend-
wie den rapiden Fortschritt verlangsamen kann, einfach tot-
zuschlagen, mit dem kältesten Blut eine ganze Generation
abzuschlachten zu Nutzen einer kommenden.« Schulze-
Vellinghausen erinnert daran, daß Loths Phrasen vom »gesunden Blut« zur Zeit Hitlers »Millionen auf den Schind-
acker« geführt haben. Man kann mancherlei gegen das ein-
wenden, was Loth sagt und tut (oder unterläßt). Man kann
diese Einwände nicht gegen Gerhart Hauptmann erheben.
Wohl vertrat er in seiner Jugend einige der Auffassungen,
die er Alfred Loth verkünden läßt. Als jedoch — von Ende
April bis Anfang Juni 1889 — in der Abgeschiedenheit
Erkners das Drama, das ursprünglich »Der Säemann« hieß,
nach eigner Aussage des Dichters »in den sommerlich hellen

NACHWORT   101

Stunden vor Tage beinahe wie von selbst entstand«, besaß
der Verfasser bereits genügend Distanz, um die Figur des
Loth in ihrer zeitgebundenen Problematik klar zu erkennen.
Hoffmanns verlogener und Loths ehrlicher Idealismus ent-
sprechen einander. So verschieden sie in Charakter oder
Charakterlosigkeit, in Ethik, Moral und Weltanschauung
sein mochten, in einem stimmen sie überein: sie denken
materialistisch. Der eine — Hoffmann — richtet sich mit Ge-
nuß in der alten schlechten Gesellschaft ein. Der andere —
Loth — will eine neue, bessere Gesellschaft. Grundlage
dieser sozialistischen Gesellschaft ist die Wissenschaft mit
ihrer Lehre, daß der Mensch bis ins Letzte bestimmt werde
durch Faktoren der Umwelt und der Vererbung. Auch die
naturalistische Kunsttheorie eines Zola und eines Arno Holz,
von der Gerhart Hauptmann in technischer Hinsicht profi-
tiert hatte, war aufs engste mit diesem Wissenschaftsglauben
verbunden.

In dem Konflikt, in dem Kampf zwischen Hoffmann und
Loth konnte es wohl Sieg und Niederlage, nicht aber Tragik
geben. Tragik kommt dadurch ins Spiel, daß sich in dieses
Spannungsgefüge mit der Liebeshandlung, die sich zwischen
Helene, der jüngsten Tochter des Bauern Krause, und Alfred
Loth vollzieht, ein zweites, gleichsam im Kontrapunkt ent-
wickeltes Spannungsgefüge hineinschiebt. Helene liebt Loth,
der junge Volkswirtschaftler erwidert diese Liebe, aber als er
durch den dritten der Jugendfreunde, die hier zusammen-
treffen, den Arzt Dr. Schimmelpfennig, darüber aufgeklärt
wird, daß Helene die Tochter eines schon halb vertierten
Trinkers ist, verläßt der im Wissenschaftsaberglauben seiner
Zeit befangene Menschheitsbeglücker den einzigen Menschen, dem er wirklich helfen könnte. Er verläßt Helene, die
daraufhin Selbstmord begeht, gibt damit auch die ihm hier
gestellte soziale Aufgabe preis. Um einer angeblich größeren
Mission willen, um die Idee »rein« zu erhalten, lehnt Loth
es ab, sich mit dem leidenden Einzelmenschen abzugeben.
Er will dem Kollektiv, einer neuen, besseren, humanen Gesellschaft zum Siege verhelfen. Indem Gerhart Hauptmann
das Inhumane aufdeckt, das im konsequenten Handeln eines
materialistisch denkenden und idealistisch redenden Sozial-
reformers liegt, übt er, wie Karl S. Guthke schreibt, »im

Medium der dramatischen Menschengestaltung« zugleich
Kritik »am Reformertum des Naturalismus«.

Der Naturalismus war für Hauptmann wichtig, weil er ihm
den Weg zum Elementaren frei machte, zur Darstellung des
unmittelbaren Lebens, das der Dichter schon in früher Kindheit wahrgenommen, unter dem Einfluß des Epigonentums
seiner Zeit aber bis zu seinem 25. Lebensjahr nicht auszu-
drücken gewagt hatte. Ibsen und Tolstoi (vor allem mit seinem Drama »Die Macht der Finsternis«), nicht zuletzt Arno
Holz und sein damaliger Mitstreiter Johannes Schlaf hatten
Gerhart Hauptmann Mut gemacht, auf die ungehobenen
Schätze seiner Kindheit zurückzugreifen, auf bisher nicht
Beachtetes und Beobachtetes in Geste und Mimik der Menschen, Regungen der Seele, die im Dialekt und in einer oft
nur stammelnden Sprache zutage traten. Im Gegensatz zu
den »Theoriepedanten« des Naturalismus erwies sich Hauptmann bei der Gestaltung des wie zufällig Erlauschten als
»ein stilvoller Realist« (Fontane).

Man wird das fast uneingeschränkt positive Urteil Fontanes
heute nicht mehr ganz unterschreiben. Es gibt in »Vor
Sonnenaufgang« einiges allzu grob und grell Geratene, ge-
häufte Greuel, faustdicke Unterstreichungen, Wiederholun-
gen, Längen, und sogar die einst sehr gerühmten Liebes-
szenen zwischen Helene und Loth erscheinen uns etwas blaß.
Und doch steht im ganzen, von der ersten meisterhaft nuan-
cierten bis zur letzten stummen Szene, von dem Diner am
Ende des ersten Aktes, dem Beginn des zweiten und dem
ihm korrespondierenden Schluß des fünften Aktes ein genial
begabter Dramatiker vor uns. Es gibt wohl hin und wieder
einen leer klingenden Satz, doch keine nachlässig konturierte
Figur. Gerhart Hauptmann hat das Drama später einmal zu
definieren versucht als »die natürliche Synthese zeitlich und
räumlich weit auseinander liegender Einzelmomente«. Und
er hat an anderer Stelle gesagt: »Die Distance, aus der man
ein Drama sieht, darf sich während der Arbeit nicht ver-
schieben«. Wo aber, so wird man fragen, ist der Mittelpunkt
zu suchen? Denn da die dramatische Kunst — nach der Auf-
fassung Hauptmanns — »gleichsam auf einer produktiven
Skepsis errichtet« ist, da sie Gestalten gegeneinander bewegt,
von denen jede mit ihrer besonderen Art und Meinung voll

berechtigt ist, so fragte der Dichter selbst: »Wo aber bleibt
die gesunde rechte Art und rechte Meinung?« Und er gab
die für ihn kennzeichnende Antwort: »Sie werden finden,
daß die Tragödie keineswegs eine richterliche oder gar Hen-
kersprozedur, sondern eine Formel für das tiefste und schmer-
zensreichste Problem des Lebens ist.« Die Antwort ist wieder
ein Rätsel, ein Geheimnis. Auflösen läßt es sich nicht. Doch
läßt es sich nacherleben im Wechsel der Szenen und im
Rhythmus der Sprache: in ihm überlebt der Augenblick, in
ihm ist das flüchtige Dasein des Menschen verfestigt und ge-
bannt, in ihm ist das Leben Kunst.

Kurt Lothar Tank

Gedruckt
im
Druckhaus Tempelhof